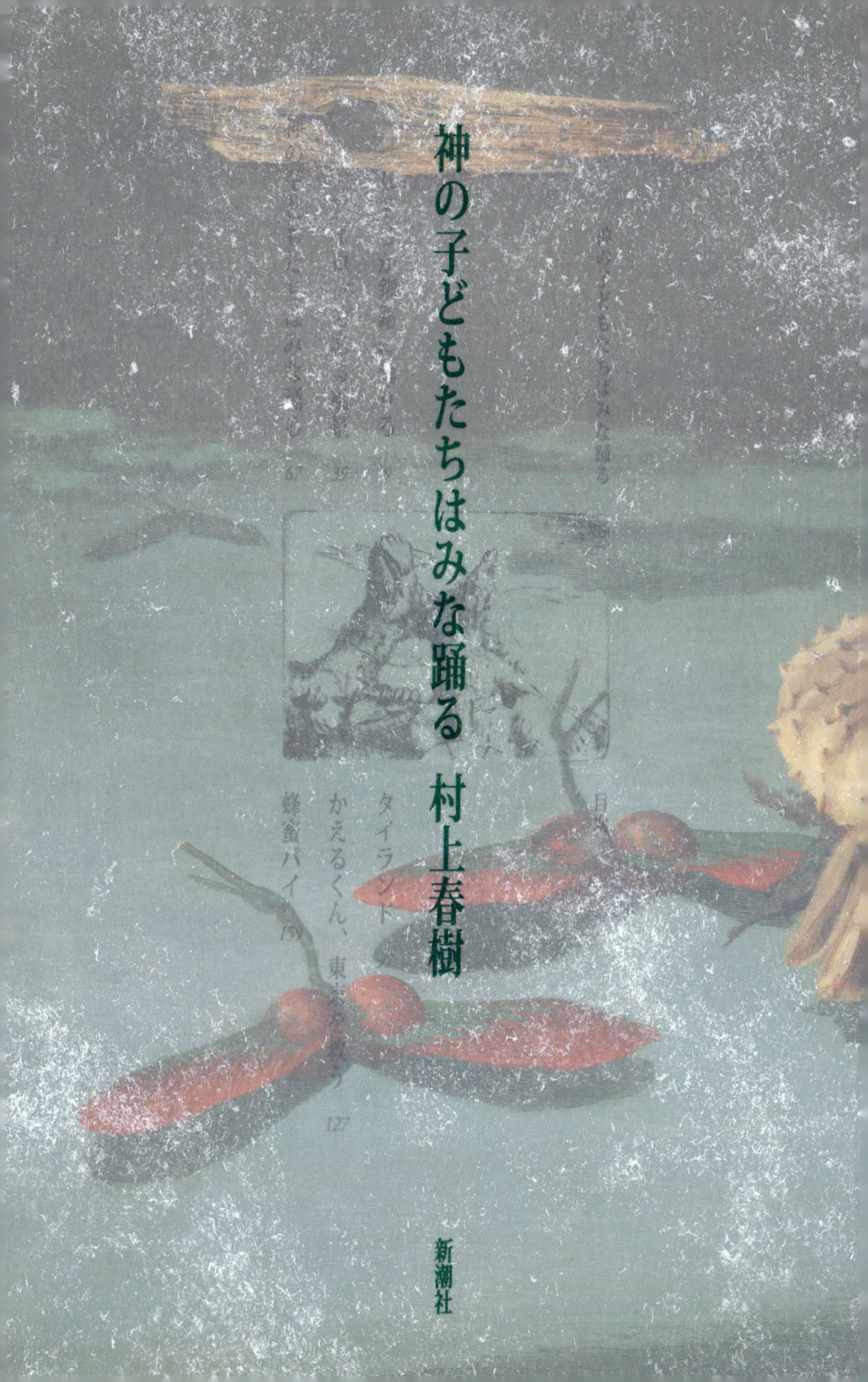

神の子どもたちはみな踊る

村上春樹

新潮社

装画・挿画　北脇昇〔東京国立近代美術館所蔵〕
装幀　新潮社装幀室

「リーザ、きのうはいったい何があったんだろう?」

「あったことがあったのよ」

「それはひどい。それは残酷だ!」

ドストエフスキー『悪霊』(江川卓訳)

〈ラジオのニュース〉米軍も多大の戦死者を出しましたが、ヴェトコン側も一一五人戦死しました。
女「無名って恐ろしいわね」
男「なんだって？」
女「ゲリラが一一五名戦死というだけでは何もわからないわ。一人ひとりのことは何もわからないままよ。妻や子供がいたのか？　芝居より映画の方が好きだったか？まるでわからない。ただ一一五人戦死というだけ」

ジャン・リュック・ゴダール『気狂いピエロ』

神の子どもたちはみな踊る

ＵＦＯが釧路に降りる

五日のあいだ彼女は、すべての時間をテレビの前で過ごした。銀行や病院のビルが崩れ、商店街が炎に焼かれ、鉄道や高速道路が切断された風景を、ただ黙ってにらんでいた。ソファに深く沈み込み、唇を固く結び、小村が話しかけても返事をしなかった。首を振ったり、うなずいたりさえしなかった。自分の声が相手の耳に届いているのかいないのか、それもわからない。

妻は山形の出身で、小村の知る限りでは、神戸近郊には親戚も知り合いも一人もいなかった。それでも朝から晩までテレビの前を離れなかった。少なくとも見ている前では、何も食べず、飲まなかった。便所にさえ行かなかった。ときどきリモコンを使ってテレビのチャンネルを変えるほかは、身じろぎひとつしなかった。

小村は自分でパンを焼いてコーヒーを飲み、仕事に出ていった。仕事から帰ると、妻は朝と同じ姿勢のまま、テレビの前に座っていた。仕方なく冷蔵庫の中にあるもので簡単な夕食を作って一人で食べた。彼が眠りにつくときにも彼女はまだ、深夜ニュースの画面をにらんでいた。沈黙の石壁がそのまわりに巡らされている。小村はあきらめて、声をかけることさえやめてしまった。
五日後の日曜日、彼がいつもの時刻に仕事から帰ってきたとき、妻の姿は消えていた。

小村は秋葉原にある老舗のオーディオ機器専門店でセールスの仕事をしている。彼が扱っているのは「ハイエンド」の商品で、売り込むとそのぶんのコミッションが給料に加算された。顧客には医者や、裕福な自営業者や、地方の金持ちが多い。その仕事を八年近く続けていたが、収入は最初から悪くなかった。経済は活況を呈し、土地の値段は上がり、日本中に金があふれていた。誰の財布にも一万円札がぎっしり詰まっていて、みんながそれを片端から使いたがっているように思えた。商品は高価なものから順番に売れていった。

ほっそりとした長身で、着こなしがうまく、人当たりもよい小村は、独身のときにはけっこうたくさんの女とつきあった。しかし26で結婚してからは、性的なスリルに対する欲望は、奇妙なほどあっさりと消えてしまった。結婚してからの五年のあいだ、彼は妻以外の女と寝たことはない。チャンスがなかったというわけではない。しかし彼は、軽いゆきずりの男女関係にはもうまったくといっていいくらい興味が持てなくなっていた。それよりは早く家に帰って、妻と二人でゆっくりと食事をし、ソファの上で語り合い、それからベッドに入って交わりたかった。それが彼の求めていることだった。

小村が結婚したとき、友人や会社の同僚はみんな多少の差こそあれ、一様に首をひねった。小村が端正でさわやかな顔立ちであったのに比べて、妻の容貌はまったくの十人並みだったからだ。容貌だけではなく、性格もとくに魅力的とは言えなかった。口数は少なく、いつも不機嫌そうな顔をしていた。小柄で、腕が太く、いかにも鈍重そうに見えた。

しかし小村は——その理由は本人にも正確にはわからないのだが——ひとつ屋根の下に妻と二人でいると、肩の力が抜けてのびやかな心持ちになることができた。夜には安らかな眠りを楽しむことができた。以前のように奇妙な夢に眠りを乱されることもなくなった。勃起は硬く、セックスは親密だった。死や性病や宇宙の広さについて案じることもなくなった。

でも妻のほうは、東京での狭苦しい都会生活を嫌って、故郷の山形に帰りたがっていた。そこにいる両親と二人の姉をいつも懐かしんでいたし、その気持ちが高まると一人で里帰りした。実家は旅館を経営していて裕福だったし、父親は末娘を溺愛していたから、往復の旅費くらいは喜んで出してくれた。小村が仕事から戻ると妻の姿はなく、しばらく実家に戻っているという書き置きがキッチンのテーブルにのこされていることが、これまでにも何度かあった。そんなときにも小村は文句ひとつ言わなかった。ただ黙って彼女の帰りを待っていた。一週間か十日ほどすると、妻は機嫌をなおして戻ってきた。

しかし地震の五日後に彼女が出ていったとき、のこされた手紙には「もう二度とここに戻ってくるつもりはない」と書いてあった。そこにはなぜ彼女が小村と一緒に暮らしたくないかという理由が簡潔に、そして明確に記されていた。

問題は、あなたが私に何も与えてくれないことです、と妻は書いていた。もっとはっきり言えば、あなたの中に私に与えるべきものが何ひとつないことです。あなたは優しくて親切でハンサムだけれど、あなたとの生活は、空気のかたまりと一緒に暮らしているみたいでした。でもそれはもちろんあなた一人の責任ではありません。あなたを好きになる女性はたくさんいると思います。電話もかけてこないでください。残っている私の荷物はぜんぶ処分してください。

そう言われても、あとにはほとんど何も残されていなかった。彼女の洋服も靴も傘もコーヒーマグもヘアドライヤーも、すべてなくなっていた。小村が出勤したあと、宅急便か何かでまとめて荷物を送ったのだろう。「彼女のもの」であとに残されているのは、買い物用の自転車と数冊の本だけだった。ＣＤの棚からはビートルズとビル・エヴァンズのものがあらかた消えていたが、それは小村が独身時代からコレクションしていたものだった。

彼は翌日、山形の妻の実家に電話をかけてみた。母親が出て、娘はあなたと話したくないと言っていると言った。母親は彼に対していくぶん申し訳なさそうなしゃべり方をした。あとで書類を郵送するので、印鑑を押してなるべく早く返送してほしいということでした。

なるべく早くと言われても、大事なことなので、少し考えさせてください、と小村は言った。

「でも、あなたがいくら考えても、何も変わらないと思いますよ」と母親は言った。たぶんそうだろうと小村も思った。いくら待ったところで、いくら考えたところで、ものごとはもう元には戻らないだろう。彼にはそれがよくわかった。

書類に印鑑を押して送り返したあとしばらくしてから、小村は一週間の有給休暇をとった。上司はおおよその事情を聞いて知っていたし、二月はどうせ暇な時期だったから、文句ひとつ言わずに認めてくれた。何かを言いたそうな顔はしたが、言わなかった。

「小村さん、休暇をとるって聞いたけど、何かするんですか?」、同僚の佐々木が昼休みの時間にやってきて、尋ねた。

「さあ、何をしようかな」

佐々木は小村より三歳ほど若く、独身だった。小柄で、髪は短く、金属縁の丸い眼鏡をかけている。口数が多く、鼻っ柱の強いところがあり、嫌う人間も多かったが、どちらかといえばおっとりした性格の小村とは相性は悪くなかった。

「せっかくだから、のんびり旅行でもしてくればいいじゃないですか?」

「うん」と小村は言った。

佐々木はハンカチで眼鏡のレンズを拭き、それから様子をうかがうように小村の顔を見た。

「小村さんはこれまで北海道に行ったことはありますか?」

「ないよ」と小村は答えた。

「行く気はありますか?」

「どうして?」

佐々木は目を細めて咳払いをした。「実を言いますとね、釧路まで運びたい小さな荷物がひとつありましてね、もしそれを小村さんが持っていってくれればいいなあということなんです。そうしてもらえれば、恩にきますし、飛行機の往復のチケット代くらいは喜んでもちます。向こうで小村さんが泊まるところも、こっちで手配します」

「小さな荷物？」

「これくらいです」と佐々木は言って、10センチくらいの立方体を両手の指で作った。

「重くはありません」

「仕事に関係したもの？」

佐々木は首を振った。「これは仕事とはまったく関係ありません。百パーセント個人的なものです。乱暴に扱われても困るんで、郵便や宅急便では送りたくないし、できることなら知っている人に手で持っていってほしいんです。本当は僕が自分で運べればいいんですが、北海道まで行く時間がなかなかとれなくって」

「大事なもの？」

佐々木は結んだ唇を軽く曲げ、それからうなずいた。「でも割れ物とか、危険なものとかいうんじゃないですから、神経質になる必要はありません。普通に運んでもらえれば、それでいいんです。空港でエックス線の検査にひっかかるようなこともありません。迷惑はかけませんよ。郵便で送りたくないのは、どっちかというと気分的なものです」

二月の北海道はきっとおそろしく寒いだろう。しかし寒かろうが暑かろうが、小村にとってはどうでもいいことだった。

「それで、誰に荷物を渡せばいいの？」

「妹があっちに住んでいるんです」

小村は休暇の過し方についてまったく何も考えていなかったし、これから予定を立てるのも面倒だったから、申し出を引き受けることにした。北海道に行きたくない理由は何もない。佐々木はその場で航空会社に電話をかけて、釧路行きの飛行機の切符を予約した。二日後の午後の便だった。

翌日仕事場で、佐々木は茶色い包装紙で包まれた小さな骨箱のようなものを小村に渡した。手触りからすると、箱は木でできているようだった。言われたように重さはほとんどなかった。包装紙の上から幅の太い透明テープがぐるぐると巻いてある。小村はそれを手に持って、しばらく眺めていた。ためしに軽く振ってみたが手応えはなく、音もしなかった。

「妹が空港に迎えに来ます。小村さんが泊まるところもちゃんと手配しておくということでした」と佐々木は言った。「見えるように箱を手に持って、ゲートを出たところに立っていてください。心配いりません。そんなに大きな空港じゃないですから」

家を出るときに、預かった箱を着替えの厚手のシャツにくるみ、バッグの真ん中あたりに入れた。飛行機は彼が予想していたよりずっと混んでいた。こんなに多くの人が真冬に東京から釧路まで、いったい何をしにいくのだろうと小村は首をひねった。

新聞は相変わらず地震の記事で埋まっていた。彼は座席に座り、朝刊を隅から隅まで読んだ。死亡者数はいまだに増え続けていた。水と電気は多くの地域でとまったままで、人々は住む家を失っていた。悲惨な事実が次々に明らかになっていた。しかし小村の目には、それらのディテイルは妙に平板で、奥行きを持たないものに映った。すべての響きは遠く単調だった。いくらかでもまともに考えられるのは、どんどん自分から遠ざかっていく妻のことだけだ。

彼は地震の記事を機械的に目で追い、ときどき妻のことを考え、また記事を追った。妻について考えるのにも、活字を追うのにも疲れると、目を閉じて短かい眠りに落ちた。目が覚めるとまた妻のことを考えた。どうしてあれほど真剣に、朝から晩まで、寝食を忘れてテレビで地震の報道を追っていたのだろう？　彼女はそこにいったい何を見ていたのだろう？


同じようなデザインと色のオーバーコートを着た二人の若い女が、空港で小村に声をかけてきた。一人は色白で、170センチ近く、髪が短い。鼻から盛り上がった上唇にかけて、毛の短い有蹄類を連想させるような、妙に間延びしたところがあった。もう一人は155センチくらいで、鼻が小さすぎることをべつにすれば、悪くない顔立ちの娘だった。髪はまっすぐで、肩までの長さだった。耳を出していて、右の耳たぶにほくろがふたつあった。ピアスをつけているせいで、ほくろは余計に目立った。どちらも20代半ばに見えた。二人は小村を空港の中にある喫茶店に連れていった。

「私は佐々木ケイコっていいます」と大柄な方が言った。「兄がいつもお世話になっています。こちらはお友だちのシマオさん」

「はじめまして」と小村は言った。

「こんにちは」とシマオさんは言った。

「奥さんがつい最近亡くなられたと、兄に聞いたんですが」と佐々木ケイコは神妙な顔をして言った。

「いや、死んだわけじゃないんです」と小村は少し間を置いてから訂正した。

「でも兄は一昨日の電話ではっきりとそう言ってました。小村さんは奥さんを亡くしたばかりなんだって」

「いや、離婚しただけです。僕の知る限りでは元気に生きています」

「変だわ。そんな大事なことを聞き間違えるはずはないんだけど」

彼女は事実をとり違えたことで、むしろ自分が傷つけられたような表情を顔に浮かべた。小村はコーヒーに砂糖を少しだけ入れて、スプーンで静かにかきまわした。そして一口飲んだ。コーヒーは薄くて、味がなかった。コーヒーは実体としてではなく、記号としてそこにあった。俺はこんなところでいったい何をしているのだろう、と小村は自分でも不思議に思った。

「でもきっと聞き間違いだわ。それ以外には考えられないもの」と佐々木ケイコは気を取り直したように言った。そして大きく息を吸い込み、唇を軽くかんだ。「ごめんなさいね。すごく失礼なことを言って」

「いや、どうでもいいんです。同じようなものだ」

二人が話しているあいだ、シマオさんは微笑みを浮かべ、黙って小村の顔を見ていた。彼女は小村に好感を持ったようだった。顔つきやちょっとした素ぶりから、小村にはそれがわかった。三人のあいだにしばらく沈黙が降りた。

「とりあえず先に、大事なものを渡しておきます」と小村は言った。バッグのジッパーを開けて、スキー用の厚手のアンダーシャツのあいだから預かってきた包みを取り出した。そういえば、俺はこの包みを手に持ってなくちゃいけなかったんだ、と小村は思った。それが目じるしだったんだ。この女たちはどうして俺のことがわかったんだろう?

佐々木ケイコは両手をのばしてテーブルの上で包みを受け取り、表情のない目でひとしきり眺めていた。それから重さを確かめ、小村がやったのと同じように、耳のそばで何度か軽く振った。問題がないことを示すように小村に笑いかけ、大振りのショルダーバッグの中に箱をしまった。

「ひとつ電話をかけなくてはいけないんだけど、ちょっと失礼してかまわないかしら？」とケイコは言った。

「いいですよ。もちろん。どうぞ」と小村は言った。

ケイコはショルダーバッグを肩にかけ、遠くにある電話ボックスに向かって歩いていった。小村はその後ろ姿をしばらくのあいだ目で追っていた。上半身が固定されて、腰から下だけが機械みたいに滑らかに大きく動いていた。彼女のそんな歩き方を見ていると、過去の何かの光景がでたらめに唐突に挿入されたような妙な感覚があった。

「北海道は前に来たことあるんですか？」とシマオさんが尋ねた。

小村は首を振った。

「遠いものね」

小村はうなずいた。そしてあたりを見回した。「でもここでこうしていても、遠くに来たような気があまりしないな。変なものだね」

「飛行機のせいよ。スピードが速すぎるから」とシマオさんは言った。「身体は移動しても、それにあわせて意識がついてこられないの」

「そうかもしれない」

「小村さんは、遠くに来たかったんですか？」

「たぶん」

「奥さんがいなくなったから？」

小村はうなずいた。

「でもどれだけ遠くまで行っても、自分自身からは逃げられない」とシマオさんは言った。

テーブルの上の砂糖壺をぼんやりと眺めていた小村は、顔を上げて女の顔を見た。

「そうだね。君の言うとおりだ。どれだけ行っても、自分自身からは逃げられない。影と同じだ。ずっとついてくる」

「きっと奥さんのことが好きだったんですね？」

小村は答えを避けた。「君は、佐々木ケイコさんの友だちなんだよね？」

「そうです。私たちは仲間なの」

「どんな仲間？」

「お腹は減っていますか？」とシマオさんは、質問には答えずに、べつの質問を返した。

「どうかな」と小村は言った。「減っているような気もするし、そんなでもないような気もするし」

「三人で何か温かいものでも食べに行きましょう。温かいものを食べると気持ちがゆったりするから」

シマオさんが運転した。車は四輪駆動の小型のスバルだった。へたり具合からして、走行距離はもう20万キロを超えているに違いない。後ろのバンパーに大きなへこみがあった。佐々木ケイコが助手席に座り、小村が狭いリアシートに座った。運転はとくに下手ではなかったけれど、リアシートは騒音がひどく、サスペンションはかなり弱っていた。オートマチックのシフトダウンは衝撃的で、エアコンは効きむらがあった。目を閉じると、全自動洗濯機の中に入れられたような錯覚におそわれた。

釧路の街には雪は積もっていなかった。道路の両脇に、汚らしく凍りついた古い雪が、用途を失った言葉のように、雑然と積みあげられているだけだ。雲は低く垂れ込め、日没にはまだ少し間があったが、あたりはすっかり暗くなっていた。風が闇を切り裂き、鋭い音を立てていた。通りを歩く人の姿はほとんどない。風景は荒涼として、信号機まで凍りついているみたいに見えた。

「北海道の中でも、ここはあまり雪が積もらないところなの」と佐々木ケイコが後ろを向いて大きな声で説明した。「沿岸地域だし、風が強いから、少し積もってもすぐに吹き飛ばされてしまうの。でも寒いことはめっぽう寒いわよ。耳がちぎれそうなくらい」

「酔っぱらって道で寝ちゃった人がよく凍えて死ぬの」とシマオさんが言った。

「このあたりは熊は出ない？」と小村は質問した。「ねえ、熊ですって」

ケイコはシマオさんの方を見て笑った。

シマオさんも同じようにくすくす笑った。

「北海道のことはよく知らないんだ」と小村は言い訳するように言った。

「熊についてはひとつ面白い話があるの」とケイコは言った。「そうよね？」と彼女はシマオさんに言った。

「すごく面白い話」とシマオさんも言った。

しかし会話はそこで途切れ、それっきり熊の話は始まらなかった。小村もあえて尋ねなかった。やがて目的地に着いた。街道沿いにある大きなラーメン屋だった。車を駐車場に入れ、三人で店に入った。小村はビールを飲み、熱いラーメンを食べた。店は汚くてがらんとして、テーブルも椅子もぐらぐらだったが、ラーメンはとてもうまかったし、食べ終わったときにはたしかに気持ちが少し落ちついていた。

「小村さん、北海道で何かやりたいことはある？」と佐々木ケイコが訊いた。「一週間くらいはここにいられるって聞いたけど」

小村はしばらく考えてみたが、やりたいことは思いつけなかった。

「温泉なんてどう？　温泉につかってのんびりしたい？　この近くに、小ぢんまりとしてひなびた温泉がひとつあるんだけど」

「それも悪くないな」と小村は言った。

「きっと気に入ると思うな。いいところよ。熊も出ないし」

二人は顔を見合わせて、またおかしそうに笑った。

「ねえ小村さん、奥さんのことを尋ねていい？」とケイコが言った。

「かまわないよ」

「奥さんはいつ出ていったの？」

「地震の五日あとだから、もう二週間以上になるな」

「地震と何か関係があるの？」

小村は首を振った。「たぶんないと思う」

「でも、そういうのって、どっかでつながっているんじゃないかな」とシマオさんが首を軽く傾げながら言った。

「あなたにわからないだけで」とケイコが言った。

「そういうことってあるのよ」とシマオさんが言った。

「そういうことって、どういうこと？」と小村は尋ねた。

「つまりね」とケイコが言った。「私の知り合いにも、一人そういう人がいたの」

「サエキさんの話？」とシマオさんが尋ねた。

「そう」とケイコは言った。「サエキさんっていう人がいるんだ。釧路に住んでいて、40くらいで、美容師なんだけど。その人の奥さんが去年の秋にＵＦＯを見たの。夜中に町外れを一人で車を運転していたら、野原の真ん中に大きなＵＦＯが降りてきたわけ。どーんと。『未知との遭遇』みたいに。その一週間後に彼女は家出した。家庭に問題があるとかそういうのでもなかったんだけど、そのまま消えちゃって、二度と戻ってこなかった」

「それっきり」とシマオさんが言った。

「ＵＦＯが原因で？」と小村は尋ねた。

「原因はわからない。でもある日、書き置きもなく、小学生の子供を二人おいてどこかに行っちゃった」とケイコが言った。「出ていく前の一週間はずっと、誰の顔を見てもそのＵＦＯの話しかしなかったんだって。ほとんど休みなしにしゃべりまくっていた。それがどれくらい大きくて、どんなにきれいだったとか、そういうこと」

二人は、その話が小村の頭にしみこむのを待っていた。

「僕のところは書き置きはあった」と小村は言った。「子供はいない」

「じゃあサエキさんのところよりまだ少しはましだったのよ」とケイコは言った。

「子供のことって大事だものね」とシマオさんは言って、うなずいた。

「シマオさんのお父さんは彼女が７つのときに、家を出ていっちゃったの」とケイコは眉をしかめて説明した。「お母さんの妹と駆け落ちしたの」

「ある日突然」とシマオさんはにこにこしながら言った。

沈黙が降りた。

「サエキさんの奥さんは家出したんじゃなくて、UFOの宇宙人に連れて行かれたのかもしれないよ」と小村は場を取り繕うように言った。

「その可能性はあるわね」とシマオさんは真顔で言った。「そういう話はよく聞くから」

「あるいは道を歩いていて、熊に食べられちゃったとか」とケイコは言った。二人はまた笑った。


店を出ると、三人は近くにあるラブホテルに行った。街の外れに、墓石を作る石材店とラブホテルが交互に並んでいる通りがあって、シマオさんはそのうちのひとつに車を乗り入れた。西洋の城を模した奇妙な建物だった。てっぺんに三角の赤い旗が立っている。

ケイコがフロントで鍵を受け取り、三人でエレベーターに乗って部屋に行った。窓が小さく、そのぶんベッドはばかばかしいくらい大きかった。小村がダウンジャケットを脱いでハンガーにかけ、便所に行って用を足しているあいだに、二人は手際よく風呂の湯を張り、照明の調光器を調節し、エアコンをチェックし、テレビのスイッチを入れ、出前のメニューを検討し、ベッドの枕もとのスイッチを試し、冷蔵庫の中身を調べた。

「知り合いが経営しているホテルなの」と佐々木ケイコは言った。「だからいちばん広い部屋を用意してもらったんだ。ごらんのようにいちおうラブホテルだけど、気にしないでね。ね、べつに気にしないでしょう？」

気にしない、と小村は言った。

「狭くて貧乏くさい駅前のビジネスホテルに泊まるより、こっちの方がずっと気が利いていると思うな」

「そうかもしれない」

「お湯がたまったから、お風呂に入ってくれれば」

小村は言われたとおり風呂に入った。風呂はいやに広々としていて、一人で入っていると不安な気持ちになるほどだった。ここに来る人々はほとんどの場合二人で風呂に入るのだろう。

風呂から出てくると、佐々木ケイコの姿はなかった。シマオさんが一人でビールを飲みながらテレビを見ていた。

「ケイコさんは帰っちゃったの。用事があるのでお先に失礼します。明日の朝に迎えに来ますって。ねえ、私はすこしここに残ってビールを飲んでいていいかしら？」

いいよ、と小村は言った。

「迷惑じゃない？　一人きりになりたいとか。誰かと一緒だと落ちつかないとか」

迷惑じゃない、と小村は言った。彼はビールを飲み、タオルで髪を拭きながら、シマオさんと一緒にしばらくテレビの番組を見た。ニュースの地震特集だった。いつもながらの映像が繰り返されていた。傾いたビル、崩れた道路、涙を流す老女、混乱とやり場のない怒り。コマーシャルの時間になると、彼女はリモコンでテレビのスイッチを切った。

「せっかくだから、二人で何かお話をしましょう」

「いいよ」

「どんな話がいいかな」

「車の中で君たち二人で熊の話をしてたよね」と小村は言った。「熊についての面白い話」

「うん。熊の話」と彼女はうなずいて言った。

「どんな話か聞かせてくれないかな」

「いいわよ」

シマオさんは冷蔵庫から新しいビールを出して、二人のグラスに注いだ。

「ちょっとエッチな話なんだけど、私がそういう話をして、小村さんはいやじゃない？」

小村は首を振った。

「ときどきそういうのって、いやがる男の人がいるから」

「僕はそうじゃない」

「私自身の経験談なの。だからほら、ちょっと恥ずかしいんだけど」

「よかったら聞きたいな」

「いいわよ。もし小村さんさえよければ」

「僕はかまわない」

「三年くらい前に、私が短大に入った頃のことなんだけど、男の人とつきあっていたの。相手はひとつ年上の大学生だった。私が初めてセックスした相手。その人と二人でハイキングに行ったの。ずっと北の方の山に」

シマオさんはビールを一口飲んだ。

「秋のことで、熊が山に出ていたの。秋の熊は冬眠のために食料を集めているから、けっこう危険なの。ときどき人が襲われる。そのときも、三日前にハイカーが襲われて大怪我をしていた。だから地元の人に鈴を渡されたの。風鈴くらいの大きさの鈴。それをちりんちりんと振って音を出しながら歩きなさいって。そうすれば熊は人が来たなってわかるから、出てこないわけ。熊は人間を襲いたくて襲うわけじゃないのよ。熊って雑食だけど菜食が中心の動物だから、人を襲う必要はほとんどないの。自分のテリトリーの中でだしぬけに人間に出くわして、びっくりして、あるいは腹を立てて、それで反射的に人を攻撃しちゃうわけ。だからちりんちりんと音を立てて歩いていれば、向こうが避けてくれる。わかる？」

「わかる」

「それで私たちは二人でちりんちりんと山道を歩いていたの。そうしたら、誰もいないところで、彼が急にあれをやりたいって言い出した。私もまあいやじゃなかったから、いいわよって言ったの。そして道から外れた、人目につかない茂みの中に私たちは入ったわけ。ちょっとビニールシートを敷いて。でも私は熊が恐かった。だってセックスをしている途中で、後ろから熊に襲われて殺されたりしたらたまらないでしょう？　そんな死に方っていやだわ。そう思わない？」

　小村は同意した。

「だから私たちは片手で鈴を持って、それを振りながらセックスしたの。始めから終わりまでずっと。ちりんちりんって」

「どっちが振ったの？」

「交代で振ったの。手が疲れると、交代して、また疲れるとまた交代して。すごく変なものだったわ。鈴を振りつづけながらセックスするのって」とシマオさんは言った。「今でもときどきね、セックスをしている最中に、そのときのことを思い出すと、吹き出しちゃうことがあるの」

小村も少し笑った。

シマオさんは何度か手を叩いた。「ああよかった。小村さんもちゃんと笑えるんじゃない」

「もちろん」と小村は言った。でも考えてみたら、笑ったのはずいぶん久しぶりだった。この前笑ったのはいつだったろう。

「ねえ、私もお風呂に入ってきていいかしら？」

「いいよ」

彼女が風呂に入っているあいだ、小村は声の大きなコメディアンが司会をするバラエティー番組を見ていた。ちっとも面白くなかったが、それが番組のせいなのか自分のせいなのか、小村には判断できなかった。ビールを飲み、冷蔵庫の中にあったナッツの袋を開けて食べた。シマオさんはずいぶん長い時間、風呂に入っていたが、やがてバスタオルを胸に巻いただけの格好で風呂から出てきて、ベッドの上に座った。タオルを取り、猫のようにするりと布団の中にもぐりこんだ。そして小村の顔をまっすぐに見た。

「ねえ小村さん、最後に奥さんとエッチをしたのはいつ？」

「去年の12月の末だったと思う」

「それからやってないの？」

「やってない」

「ほかの誰とも？」

小村は目を閉じて肯いた。

「思うんだけど、今の小村さんに必要なのは、気分をさっぱりと切り替えて、もっと素直に人生を楽しむことよ」とシマオさんは言った。「だってそうでしょ？ 明日地震が起きるかもしれない。宇宙人に連れていかれるかもしれない。熊に食べられるかもしれない。何が起こるか、そんなの誰にもわからないのよ」

「誰にもわからない」と小村は言葉を繰り返した。

「ちりんちりん」とシマオさんは言った。

結合することを何度か試みて、どうしてもうまく行かなかったあとで、小村はあきらめた。それは小村には初めてのことだった。

「奥さんのことを考えていたんじゃない？」とシマオさんは尋ねた。

「うん」と小村は言った。でも実を言えば、小村の頭の中にあったのは地震の光景だった。それがスライドの映写会みたいに、ひとつ浮かんでは、ひとつ消えていく。ひとつ浮かんでは、ひとつ消えていく。高速道路、炎、煙、瓦礫の山、道路のひび。彼はその無音のイメージの連続をどうしても断ち切ることができなかった。

　シマオさんは小村の裸の胸に耳をつけていた。

「そういうことってあるわよ」と彼女は言った。

「うん」

「気にしない方がいいと思う」

「気にしないようにする」と小村は言った。

「といってもやっぱり気にするのよね。男の人って」

　小村は黙っていた。

　シマオさんは小村の乳首を軽くつまんだ。「ねえ、小村さんの奥さんは書き置きを残していったって言ってたわよね？」

「言った」

「その書き置きには、どんなことが書いてあったの？」

「僕と暮らすのは、空気のかたまりと暮らしているようなものだって書いてあった」

「空気のかたまり？」とシマオさんは首を曲げ、小村の顔を見上げた。「どういうことなのかしら？」

「中身がないということだと思う」

「小村さんって、中身がないの？」

「ないかもしれない。でもよくわからないな。中身がないと言われても、いったい何が中身なのか」

「そうね。そう言われてみれば、中身っていったい何なんだろう？」とシマオさんは言った。「私のお母さんは鮭の皮のところが大好きで、皮だけでできている鮭がいるといいのにってよく言っていたわ。だから中身なんてない方がいい、というケースだってあるかもしれない。そうでしょ？」

　皮だけでできた鮭のことを、小村は想像してみた。でももし仮に皮だけでできた鮭がいるとしたら、その鮭の中身は皮そのものになるということじゃないのか？　小村が深呼吸すると、女の頭が大きく持ち上がり、沈んだ。

「ねえ、中身があるかどうか、私にはよくわからないけど、でも小村さんはなかなか素敵よ。あなたのことをちゃんと理解して好きになってくれる女の人は、世の中にいっぱいいると思うな」

「それも書いてあった」

「奥さんの書き置きに？」

「そう」

「ふうん」とシマオさんはつまらなそうに言った。そして小村の胸にまた耳をつけた。ピアスが秘密の異物のように感じられた。

「ところで僕が運んできたあの箱のことだけど」と小村は言った。「中身はいったいなんだったんだろう？」

「気になるの？」

「今までは気にならなかった。でも今はなぜか不思議に気になるんだ」

「いつから？」

「ついさっきから」

「急に？」

「気がついたら、急に」

「どうしてそんなに急に気になりだしたのかしら？」

小村は天井をにらんで少し考えてみた。「どうしてだろう？」

二人はしばらくのあいだ、風のうなりに耳を澄ませていた。風は小村の知らないところからやってきて、小村の知らないところに向かって吹き過ぎていった。

「それはね」とシマオさんはひっそりとした声で言った。「小村さんの中身が、あの箱の中に入っていたからよ。小村さんはそのことを知らずに、ここまで運んできて、自分の手で佐々木さんに渡しちゃったのよ。だからもう小村さんの中身は戻ってこない」

小村は身を起こし、女の顔を見おろした。小さな鼻と、耳のほくろ。深い沈黙の中で、心臓が大きな乾いた音を立てていた。体を曲げると、骨がきしんだ。一瞬のことだけれど、小村は自分が圧倒的な暴力の瀬戸際に立っていることに思い当たった。

「それって、冗談よ」とシマオさんは小村の顔色を見て言った。「思いついた出まかせを言っただけ。まずい冗談だったわ。ごめんなさい。気にしないで。小村さんを傷つけるつもりはなかったの」

小村は気持ちを静め、部屋を見まわし、それからもう一度枕に頭を埋めた。目を閉じ、深く息をついた。ベッドの広さが夜の海のように彼のまわりにあった。凍てついた風の音が聞こえた。心臓の激しい鼓動が骨を揺さぶっていた。

「ねえ、どう、遠くまで来たっていう実感が少しはわいてきた?」

「ずいぶん遠くに来たような気がする」と小村は正直に言った。

シマオさんは小村の胸の上に、何かのまじないのように、指先で複雑なもようを描いた。

「でも、まだ始まったばかりなのよ」と彼女は言った。

アイロンのある風景

電話が鳴ったのは夜中の12時前だった。順子はテレビを見ていた。啓介は部屋の隅で耳にヘッドフォンをあてて、半ば目を閉じ、左右に首を振りながら電気ギターを弾いていた。早いパッセージの練習をしているらしく、長い指が6本の弦の上をすばやく行き来している。電話のベルはぜんぜん聞こえてない。順子が受話器を取った。

「もう寝てたか?」と三宅さんがいつものぼそぼそとした声で言った。

「だいじょうぶ、まだ寝てないよ」と順子は答えた。

「今、浜にいるねんけどな、流木がけっこうぎょうさんあるねん。大きいやつができるで。出てこれるか?」

「いいよ」と順子は言った。「今から着替えて、十分で行く」

順子はタイツをはいて、その上からブルージーンをはき、タートルネックのセーターをかぶり、ウールのコートのポケットに煙草をつっこんだ。財布とマッチとキーホルダー。それから啓介の背中を軽く蹴飛ばした。啓介はあわててヘッドフォンをはずす。

「これから浜に焚き火に行って来るよ」

「また三宅のおっさんかよ」と啓介は眉をしかめて言った。「冗談きついよな。今は二月だぜ。それも夜中の12時だぜ。今から海に行って焚き火するってか？」

「だからあんた来なくていいよ。一人で行って来るから」

啓介は溜息をついた。「俺も行くよ。行きますよ。すぐに用意するからちょっと待ってな」

彼はアンプのスイッチを切り、パジャマの上からズボンをはき、セーターを着て、ダウン・ジャケットのジッパーを首まであげた。順子は首にマフラーを巻き、毛糸の帽子をかぶった。

「まったく、もの好きだよなあ。焚き火のどこがそんなに面白いんだ？」、啓介は海岸までの道を歩きながら言った。寒い夜だったが風はまったくない。口を開くと、息が言葉のかたちに凍った。

「パール・ジャムのどこが面白いの？　ただうるさいだけじゃないよ」と順子は言い返した。

「パール・ジャムのファンは世界中に1000万人もいるんだぜ」

「焚き火のファンは5万年前から世界中にいたよ」

「まあ、それは言えるな」と啓介は認めた。

「パール・ジャムが消えても、焚き火は残る」

「それも言えるな」。啓介は右手をポケットから出して、順子の肩にまわした。「けどな、順子、問題は5万年前のことも、5万年後のことも、俺にはぜんぜん関係ないってことだよ。ぜんぜん。大事なのは、今だ。世界なんていつ終わるかわからんものな。そんな先のことが考えられるか。大事なのは、今の今しっかりメシが食えて、しっかりちんぽが立つことだ。そうだろ？」

階段をのぼって堤防の上に立つと、いつもの場所に三宅さんの姿が見えた。彼は砂浜に打ち上げられた様々なかたちの流木を一カ所に集めて、注意深く積み上げていた。中にひとつ大きな丸太が混じっていた。ここまでひきずって運んでくるのはひと仕事だったはずだ。

月の光が海岸線を研ぎあげた刃物に変えていた。冬の波はいつになくひっそりと砂を洗っていた。ほかに人影はない。

「どうや、けっこういっぱい集まったやろ」、三宅さんはやはり白い息を吐きながら言った。

「すごいじゃない」と順子は言った。

「たまにはこういうこともあるわな。こないだえらい波の荒い日があったやろ。最近はな、海鳴りを聴いているとだいたいわかるんや。今日はええたきぎが流れついとるでゆうてな」

「能書きはいいから、早く暖まりましょうよ。こんなに寒くちゃ大事なキンタマが縮んじゃうよ」、両手をごしごしとこすりながら啓介は言った。

「まああ待っとれ。こういうもんは順番が大事なんや。最初にしっかりプランを練っておいて、これで問題ないとしておいて、それからおもむろに火をつける。あわててやってもうまくいかん。あわてる乞食はもらいが少ない」

「あわてるソープ嬢は延長が少ない」と啓介が言った。

「お前な、若いうちから、そういうしょうもない冗談を言うな」と三宅さんは首を振って言った。

太い丸太と小さな木ぎれが巧妙に組み合わされ、前衛的なオブジェのように積み上げられていた。数歩後ろにさがってその形状を子細に点検し、配置をいじり、それからまた向こう側にまわって眺め――というのがいつものように何度か繰り返された。材木の組み合わせを見ているだけで、炎の燃え上がる様子が頭の中にイメージとして浮かんでくるのだ。彫刻家が素材の石のたたずまいを見て、そこに秘められている物体の姿勢を思い浮かべるのと同じように。

時間をかけて納得のいく配置が完成すると、三宅さんは「よしよし」というように一人でうなずいた。それから用意した新聞紙を、いちばん底に丸めてつっこみ、プラスチックのライターで火をつけた。順子はポケットから煙草を出して口にくわえ、マッチをすった。そして目を細めるようにして、三宅さんの丸まった背中と、いくぶん薄くなり始めた後頭部を眺めていた。これがいちばん息詰まる瞬間だ。火はちゃんとつくのだろうか？　それはうまく大きく燃え上がってくれるだろうか？

三人は無言で流木の山を見つめていた。新聞紙は勢いよく燃え上がり、ひとしきり炎の中で身を揺すってから、やがて小さく丸まって消えてしまう。それからしばらくのあいだ何も起こらない。きっとだめだったんだ、と順子は思う。木は見た目より湿っていたのかもしれない。

あきらめかけたころに、白い煙が一筋、のろしとなってふっと上にあがる。風がないせいで、煙は切れ目のない一本の紐となって空に上っていく。どこかに火がついているのだ。でも火そのものはまだ見えてこない。

誰も何も言わなかった。啓介でさえ口をつぐんでいた。啓介はコートのポケットに両手をつっこみ、三宅さんは砂の上にしゃがみ込み、順子は胸の前で両手を組んでときどき思い出したように煙草を吸った。

順子はいつものようにジャック・ロンドンの『たき火』のことを思った。アラスカ奥地の雪の中で、一人で旅をする男が火をおこそうとする話だ。火がつかなければ、彼は確実に凍死してしまう。日は暮れようとしている。彼女は小説なんてほとんど読んだことがない。でも高校一年生の夏休みに、読書感想文の課題として与えられたその短篇小説だけは、何度も何度も読んだ。物語の情景はとても自然にいきいきと彼女の頭に浮かんできた。死の瀬戸際にいる男の心臓の鼓動や、恐怖や希望や絶望を、自分自身のことのように切実に感じとることができた。でもその物語の中で、何よりも重要だったのは、基本的にはその男が死を求めているという事実だった。彼女にはそれがわかった。うまく理由を説明することはできない。ただ最初から理解できたのだ。この旅人はほんとうは死を求めている。それが自分にはふさわしい結末だと知っている。それにもかかわらず、彼は全力を尽して闘わなくてはならない。生き残ることを目的として、圧倒的なるものを相手に闘わなくてはならないのだ。順子を深いところで揺さぶったのは、物語の中心にあるそのような根元的ともいえる矛盾性だった。

　教師は彼女の意見を笑い飛ばした。この主人公は実は死を求めている？　教師はあきれたように言った。そんな不思議な感想を聞いたのは初めてだな。それはずいぶん独創的な意見みたいに聞こえるねえ。彼が順子の感想文の一部を読み上げると、クラスのみんなも笑った。

　しかし順子にはわかっていた。間違っているのはみんなの方なのだ。だって、もしそうじゃないとしたら、どうしてこの話の最後はこんなにも静かで美しいのだろう？

「もう火は消えちゃったんじゃないんですか、三宅さん？」と啓介がおずおずと言った。

「大丈夫。火はついとるから、心配するな。今は燃え上がるための準備をしとるだけや。煙がずっと続いているやろ。火のないところに煙は立たん、言うやないか」

「血のないところにちんぽは立たん、言いますね」

「あのな、お前な、そういうこと以外に考えることないんか？」、三宅さんはあきれたように言った。

「でも、消えてないってほんとにわかるんですか？」

「ちゃんとわかる。今にぱっと燃えてくる」

「三宅さんはいったいどこでそんな学識を身につけたんですか？」

「学識ゆうほどのもんやないけど、だいたいは子どもの時にボーイスカウトで習ったんや。ボーイスカウトやってたら、焚き火にはいやでも詳しくなる」

「はあ」と啓介は言った。「ボーイスカウトですか」

「しかしもちろんそれだけやない。才能みたいなものもある。言うたらなんやけどな、焚き火のおこし方についてはな、俺はふつうの人にはない特殊な才能があるねん」

「楽しそうだけど、あんまりお金にはなりそうにない才能ですよね」

「たしかに金にはならんなあ」と三宅さんは笑って言った。

　三宅さんが予言したように、やがて奥の方に炎がちらつくのが見え始める。木がはぜる音がかすかに聞こえる。順子はほっと一息つく。ここまでくればもう心配することはない。焚き火はうまくいく。その生まれたばかりのささやかな炎に向けて、三人はそろそろと両手を差し出す。しばらくは何も手を加えなくていい。炎が徐々に勢いを増していくのを、ただ静かに見守っていればいいのだ。5万年前の人々も、やはり同じような気持ちで焚き火に向かって手をかざしたはずだ。順子はそう思った。

「三宅さん、出身は神戸のほうだっていつか言ってましたよね」、啓介がふと思い出したように明るい声で尋ねた。「先月の地震は大丈夫だったんですか？　神戸には家族とかいなかったんですか？」

「さあ、ようわからん。俺な、あっちとはもう関係ないねん。昔のことや」

「昔のことやと言われても、そのわりに関西弁ぜんぜん抜けないですね」

「そうかな、抜けてへんか？　自分ではようわからんけど」

「あのね三宅さん、それがもし関西弁やなかったら、わての喋ってるのはいったいなんですねん。むちゃくちゃゆわはったら困りますがな」

「気色の悪い関西弁つかうな。イバラギの人間にけったいな関西弁つかわれたくないんや。お前らは農閑期にむしろ旗たてて暴走族やっとったらええんや」

「ひでえよな。三宅さんっておとなしそうな顔をして、すげえこと言いますよね。まったく、なにかというとすぐに北関東の純朴ピープルのことといじめるんだから、参りますがな」と啓介は言った。「でもマジな話、ほんとに大丈夫だったんですか？ やっぱり知り合いとかいるんでしょう。テレビのニュース、見てます？」

「その話、やめようや」と三宅さんは言った。「ウィスキー飲まへんか？」

「いただきましょう」

「順ちゃんは？」

「少しだけね」と順子は言った。

三宅さんは革ジャンパーのポケットから薄い金属製のフラスクを出して、啓介に手渡した。啓介はふたを回して開け、唇をつけずに口の中に注ぎ、ごくりと飲み下した。そしてふうっと息を吸い込んだ。

「うめえ」と彼は言った。「こいつはまぎれもない21年ものシングル・モルトの逸品だ。樽はオークですよね。スコットランドの海鳴りと、天使の吐息が聞こえる」

「あほ、適当なこと言うな。ただのサントリーの角瓶やないか」

順子は啓介からまわってきたフラスクを手に取り、キャップに注いだウィスキーをなめるように少しずつ飲んだ。そしてむずかしい顔をしながら、食道から胃へと温かい液体が下降していく独特の感触を追った。身体の芯がいくぶん温かくなった。次に三宅さんが静かにひとくち飲み、それからまた啓介がぐいと飲んだ。フラスクが手から手へとまわされているあいだに、焚き火の炎は次第に大きく、確実なものになっていった。急速にではない。ゆっくり時間をかけてだ。それが三宅さんの作る焚き火の優れたところだった。炎の広がり方が柔らかくてやさしいのだ。熟練した愛撫のように、決して急がないし荒々しくもない。炎は人の心を温めるためにそこにある。

順子は焚き火の前ではいつも寡黙になった。ときどき姿勢を変えるほかは、ほとんど身動きひとつしなかった。そこにある炎は、あらゆるものを黙々と受け入れ、呑みこみ、赦していくみたいに見えた。ほんとうの家族というのはきっとこういうものなのだろうと順子は思った。

高校三年生の五月に、順子はこの茨城県の町にやってきた。父親の印鑑と貯金通帳を持ち出して30万円をおろし、ボストンバッグに詰められるだけの着替えを詰めこみ、家出した。所沢からでたらめに電車を乗り継いで、茨城県の海岸の小さな町についた。名前も聞いたことのない町だった。駅前の不動産屋で一間のアパートをみつけ、その翌週には海岸沿いの国道に面したコンビニの店員になっていた。元気で暮らしているから心配するな、行方は捜さないでほしい、という手紙を母親にあてて書いた。

学校に行くのがいやでたまらなかったし、父親の顔を見ることにも耐えられなかった。小さな子どもの頃、順子は父親と仲が良かった。休日にはよく二人でいろんなところに遊びに行った。父親と手をつないで歩いていると、わけもなく誇らしく、心強かった。しかし小学校の終わり近くに生理が始まり、陰毛がはえ、胸がふくらみだしてからは、父親はそれまでとはちがった奇妙な視線で彼女のことを見るようになった。中学三年生になって身長が170センチを超えてからは、父親はほとんどなにも話しかけないようになった。

学校の成績も自慢できたものではなかった。中学校に入った頃はクラスでも上の方だったが、卒業するときにはうしろから数えた方が早く、高校に入るのもやっとだった。頭が悪いというのではない。ただものごとに意識を集中することができないのだ。何かをやり始めても、最後までやり終えることができなくなった。集中しようとすると、頭の芯が痛んだ。呼吸が苦しくなり、心臓の鼓動が不規則になった。学校に行くのは苦痛以外の何ものでもなかった。

町に落ちついてほどなく啓介と知り合った。彼女よりふたつ年上で、腕のいいサーファーだった。背が高く、髪を茶色に染め、歯並びがきれいだった。波がいいからということでこの町に住み着き、友だちとロック・バンドを組んでいた。二流の私立大学に籍は置いていたが、ほとんど学校には通っておらず、卒業できる見込みはゼロだ。両親は水戸市内で老舗の菓子店を経営していたので、いざとなれば家業を継ぐことはできたが、本人は菓子屋の主人におさまるつもりはまったくなかった。いつまでも仲間とダットサン・トラックを乗り回し、サーフィンをやりながらアマチュア・バンドでギターを弾いていられればいいと考えていたが、誰がどう考えてもそんな気楽な生活が永久に続くわけはない。

順子が三宅さんと親しく口をきくようになったのは、啓介と同棲するようになったあとのことだった。三宅さんはおそらく40代半ばで、やせて小柄で、眼鏡をかけていた。顔は細長く、髪は短かった。髭が濃くて、夕方になるといつも顔全体が影でおおわれたみたいに薄黒くなった。色のあせたダンガリ・シャツかアロハ・シャツの裾をズボンの外に出し、かたちの崩れたチノパンツをはいて、古い白いスニーカーをはいていた。冬になるとその上にしわだらけの革ジャンパーを着た。ときどき野球帽をかぶった。それ以外の格好をしているところを順子は見たことがない。でも身につけているものは、どれもこまめに洗濯されているように見えた。

鹿島灘の小さな町には、関西弁をしゃべる人間なんていなかったから、三宅さんの存在はいやでも目立った。あの人、ここのすぐ近くの家を借りて一人暮らしをして絵を描いているんだよと、同僚の女の子が教えてくれた。ううん、べつに有名とかそういうんじゃないみたい。絵も見たことない。でもちゃんと生活しているみたいだからね、なんとかなってるんじゃないかな。ときどき東京に出て、画材とか買って夕方に帰ってくる。そうねえ、五年くらい前からこの町に住んでいるかなあ。よく浜で一人で焚き火しているのを見かけるよ。きっと焚き火が好きなんだよね。いつもものすごく熱心な目つきでやっているからさ。あまり喋らないし、ちょっと変人だけどさ、べつに悪い人じゃないよ。

三宅さんは一日に三度はコンビニにやってきた。朝には牛乳とパンと新聞を買い、昼には弁当を買い、夕方には冷えた缶ビールと簡単なつまみを買っていった。それが毎日毎日規則的に繰り返された。あいさつする以外とくに話らしい話もしなかったけれど、順子は彼に対して自然な親しみを抱くようになった。

ある日の朝、店内で二人きりになったときに、彼女は思い切ってたずねてみた。いくらすぐ近所に住んでいるとはいえ、どうして毎日そんな風にこまめに買い物にくるんですか？　牛乳だってビールだってまとめて買って冷蔵庫に入れておけばいいのに。そのほうが便利じゃない？　もちろんうちは売るだけだから、どっちでもいいんだけど。

「そうやな。まあ買い置きできたらええんやろけどね、うちは事情があってそれができへんねん」と三宅さんは言った。

どんな事情なのかと順子は尋ねた。

「なんというか、そのな、ちょっとした事情や」

「よけいなこと尋ねてすみません。気を悪くしないでね。わからないことがあると質悶せずにはいられないの。悪気はないんだけど」

少し迷ってから、三宅さんは困ったように頭をかいた。「うちな、実を言うと冷蔵庫がないねん。そもそも冷蔵庫ゆうもんが、あんまり好きやないんや」

順子は笑った。「私だってとくに冷蔵庫が好きなわけじゃないけど、ひとつ持ってるよ。ないと不便じゃないですか」

「そら不便やけどな、嫌いなものはしょうがないやないか。冷蔵庫のあるところでは落ちついて寝られへんのや」

変な人、と順子は思った。でもその会話のおかげで、三宅さんに対して、より深い興味を抱くようになった。

それから数日後、夕方に海辺を散歩しているときに、三宅さんが一人で焚き火をしているのを見かけた。その辺の流木を集めた小さな焚き火だった。順子は声をかけ、三宅さんのとなりに並んで焚き火にあたった。並ぶと順子の方が五センチくらい背が高かった。二人は簡単なあいさつを交わしただけで、あとは何も言わずに火を眺めていた。

そのとき順子は、焚き火の炎を見ていて、そこに何かをふと感じることになった。何か深いものだった。気持ちのかたまりとでも言えばいいのだろうか、観念と呼ぶにはあまりにも生々しく、現実的な重みを持ったものだった。それは彼女の体のなかをゆっくりと駆け抜け、懐かしいような、胸をしめつけるような、不思議な感触だけを残してどこかに消えていった。それが消えてからしばらくのあいだ、彼女の腕には鳥肌のようなものがたっていた。

「三宅さん、火のかたちを見ているとさ、ときどき不思議な気持ちになることない？」

「どういうことや？」

「私たちがふだんの生活ではとくに感じてないことが、変なふうにありありと感じられるとか。なんていうのか……、アタマ悪いからうまく言えないんだけど、こうして火を見ていると、わけもなくひっそりとした気持ちになる」

三宅さんは考えていた。「火ゆうのはな、かたちが自由なんや。自由やから、見ているほうの心次第で何にでも見える。順ちゃんが火を見ててひっそりとした気持ちになるとしたら、それは自分の中にあるひっそりとした気持ちがそこに映るからなんや。そういうの、わかるか？」

「うん」

「でも、どんな火でもそういうことが起こるかというと、そんなことはない。そういうことが起こるためには、火のほうも自由やないとあかん。ガスストーブの火ではそんなことは起こらん。ライターの火でも起こらん。普通の焚き火でもまずあかん。火が自由になるには、自由になる場所をうまいことこっちでこしらえたらなあかんねん。そしてそれは誰にでも簡単にできることとやない」

「でも三宅さんにはできるの？」

「できるときもあるし、できんときもある。でもだいたいはできる。心をこめてやったら、まあできる」

「焚き火が好きなのね」

三宅さんはうなずいた。「もう病気みたいなもんやな。だいたい俺がこんなへそのごまみたいな町に住み着くようになったのもな、この海岸にはほかのどの海岸よりも流れ着く流木が多いからなんや。それだけの理由や。焚き火やるために、ここまで来てしもたんや。しょうもない話やろ」

順子はそれから暇さえあれば三宅さんの焚き火につきあうようになった。夜中まで人で混み合う真夏を別にすれば、ほぼ一年中彼は焚き火をした。週に二度することもあれば、一カ月やらないこともあった。流木の集まりかたで、そのペースは決定された。いずれにせよこれから焚き火をしようと思うと、彼は必ず順子のところに電話をかけてきた。啓介はからかって三宅さんのことを「お前の焚き火フレンド」と呼んだ。しかし人並み外れてやきもち焼きの啓介も、三宅さんにだけはなぜか心を許しているようだった。

いちばん大きな流木に火が移り、焚き火は落ちつきを見せた。順子は砂浜に腰をおろし、じっと口をつぐんで炎を眺めていた。三宅さんは長い枝をつかって、炎がまわりすぎないように、かといって火勢が弱まらないように、注意深く調整していた。追加用にとりわけておいた流木の中から、ときおりしかるべき場所にあたらしい木を放り込んだ。

腹が痛いと啓介が言い出した。

「なんか冷えちゃったみてえだ。うんこすりゃなおると思うんだけど」

「うちに帰って勝手にしてくれれば」と順子は言った。

「そのほうがいいみたい」と啓介は情けなさそうな顔で言った。「お前どうする?」

「順ちゃんは俺がちゃんと家まで送っていったるから、大丈夫や。心配するな」と三宅さんが言った。

「ほんならお願いしますわ」と啓介は言って引きあげていった。

「あいつ、ほんとにアホなんだから」と順子は言って首を振った。「だいたい調子にのって飲み過ぎるんだよ」

「そやけどな、順ちゃん、若いときからあんまり知恵が働いてそつがないとな、それはそれでつまらんもんや。あいつにはあいつのええとこもあるやないか」

「そうかもしれないけどさ、ほとんど何も考えてないんだよね」

「若いゆうのもきついもんやねん。考えてもどうもならんことかてあるしな」

ひとしきり、二人はまた火の前で黙り込んでいた。二人はそれぞれに別のことを考えていた。時間がそれぞれの経路をたどって流れていった。

「ねえ三宅さん、ちょっと気になることがあるんだけど、きいてもかまわないかな？」

「どんなことや？」

「個人的なこと。たちいったこと」

三宅さんは手のひらで頬にのびた髭を何度かざらざらとこすった。「ようわからんけど、まあきいてみたらええやないか」

「三宅さんってさ、ひょっとしてどこかに奥さんがいるんじゃないの？」

三宅さんは革ジャンパーのポケットからフラスクを取り出し、ふたを開け、時間をかけてウィスキーを飲み下した。ふたを閉め、ポケットにしまった。それから順子の顔を見た。

「なんでまた急にそんなこと思いついたんや？」

「急にじゃなくてさ、さっきちょっとそんな気がしたんだ。啓介が地震の話を持ち出したときの三宅さんの顔を見てたらさ」と順子は言った。「だからね、火を見ているときの人間の目って、わりに正直なんだよ。いつか三宅さんが私に言ったみたいにさ」

「そうか」

「子どももいるの？」

「ああ、いる。二人もいる」

「神戸にいるんだね」

「あそこに家があるからな。たぶんまだそこに住んどるやろな」

「神戸のなんていうところ？」

「東灘区」

三宅さんは目を細め、顔をあげて暗い海の方を見て、それからまた火に視線を戻した。

「そやからな、啓介のことをアホやとはゆわれへんねん。人のこと言えた義理やない。俺かてな、なんにも考えてへんねん。アホの王様やねん。わかるやろ」

「その話、もっとしたい？」

「いや」と三宅さんは言った。「したくない」

「じゃあやめよう」と順子は言った。「でも私は三宅さんのこと、いい人だと思うよ」

「そういう問題やないんや」と三宅さんは言って首を振った。手にした枝の先で砂の上に模様のようなものを描いた。「順ちゃんは自分がどんな死に方をするか、考えたことあるか?」

順子はしばらく考えてから首を振った。

「俺はね、しょっちゅう考えてるよ」

「三宅さんはどんな死に方をするの?」

「冷蔵庫の中に閉じこめられて死ぬのや」と三宅さんは言った。「ようあるやろ、子どもが捨てられていた冷蔵庫に入って遊んでいて、そのうちにドアが閉まってしもて、そのまま中で窒息して死んでいく話が。ああいう死に方や」

大きな流木が横にぐらりと傾いで、火の粉を散らせた。三宅さんは何もせずにその様子を眺めていた。炎の照り返しが彼の顔にどことなく非現実的な影を作っていた。

「狭いところで、真っ暗な中で、ちょっとずつちょっとずつ死んでいくんや。それもうまいことすっと窒息できたらええけどな、そう簡単にはいかん。どっかから空気はかすかに入ってくる。だからなかなか窒息死できへん。死ぬまでにものすごい長い時間がかかる。声を上げても誰にも聞こえへん。誰も俺のことに気づいてもくれん。身動きもできんくらい狭いところや。どんなにあがいても内側からドアは開かへん」

順子は何も言わなかった。

「そういうのを、何回も夢に見るねん。真夜中に汗をぐっしょりかいて目が覚める。ゆっくりゆっくり暗闇の中でもがき苦しみながら死んでいく夢や。でもな、目が覚めてもまだ夢は終わってない。それがこの夢のいちばん怖いとこや。目が覚めて、喉がからからになってる。台所に行って冷蔵庫の扉を開ける。もちろんうちには冷蔵庫はないから、それが夢やいうことはわからなあかんはずや。でもそのときは気づかんのや。変やなあと思いつつ、扉を開ける。そしたら冷蔵庫の中は真っ暗闇なんや。明かりが消えてる。停電かなと思いながら、首を中につっこむ。そしたらな、冷蔵庫の奥からひゅっと手が伸びてきて、俺の首筋をつかむんや。ひやっとした死人の手や。その手が俺の首をつかんで、すごい力で冷蔵庫の中に引っぱり込むねん。ぎゃあっと大声で叫んで、そこで今度はほんまに目が覚める。そういう夢。いつもいつも同じ夢や。隅から隅まで同じや。それでもいつも同じようにおそろしく怖い」

三宅さんは枝の先で燃え盛っている丸太を突いて、もとの位置に戻した。

「あまりにもリアルなんで、俺はもうほんとに何度も死んだような気がするくらいや」

「いつごろからそういう夢を見ているの？」

「思い出せないくらいずっと昔からや。ときどきそういう夢から解放される時期もあった。一年か、そやな……二年くらいその夢をまったく見ない時期もあった。そういうときにはいろんなことがそのままうまくいくように見えた。でもな、ちゃんと戻ってきよるんや。もう大丈夫やな、助かったな、と思った頃にまた始まる。それが始まると、もうあかんねん。どうにもならん」

三宅さんは首を振った。

「順ちゃん相手にこんな暗い話してもしょうないよな」

「そんなことないよ」と順子は言った。そして煙草を口にくわえ、マッチを擦った。煙を大きく吸い込んだ。「話して」

焚き火はそろそろ終わりに向かっていた。たっぷりとあった追加分の木ぎれは残らず火の中に放り込まれていた。気のせいかもしれないが、波の音が少し大きくなってきたようだった。

「ジャック・ロンドンというアメリカ人の作家がいる」

「焚き火の話を書いた人だよね？」

「そうや。よう知ってるな。ジャック・ロンドンはずっと長いあいだ、自分は最後に海で溺れて死ぬと考えていた。必ずそういう死に方をすると確信していたわけや。あやまって夜の海に落ちて、誰にも気づかれないまま溺死すると」

「ジャック・ロンドンは実際に溺れて死んだの？」

三宅さんは首を振った。「いや、モルヒネを飲んで自殺した」

「じゃあその予感は当たらなかったんだ。あるいはむりに当たらないようにしたということかもしれないけど」

「表面的にはな」と三宅さんは言った。そしてしばらく間をおいた。「しかしある意味では、彼は間違ってなかった。ジャック・ロンドンは真っ暗な夜の海で、ひとりぼっちで溺れて死んだ。アルコール中毒になり、絶望を身体の芯までしみこませて、もがきながら死んでいった。予感というのはな、ある場合には一種の身代わりなんや。ある場合にはな、その差し替えは現実をはるかに超えて生々しいものなんや。それが予感という行為のいちばん怖いところなんや。そういうの、わかるか?」

順子はそれについてしばらく考えてみた。わからなかった。

「自分がどんな死に方をするかなんて、考えたこともないよ。そんなことをとても考えられないよ。だってどんな生き方をするかもまだぜんぜんわかってないのにさ」

三宅さんはうなずいた。「それはそうや。でもな、死に方から逆に導かれる生き方というものもある」

「それが三宅さんの生き方なの?」

「わからん。ときにはそう思えることもある」

三宅さんは順子のとなりに腰を下ろした。彼はいつもより少しやつれて歳をとったように見えた。耳の上あたりで伸びた髪が立っているのが見えた。

「三宅さんって、どんな絵を描いているの？」

「それを説明するのはすごくむずかしい」

順子は質問を変えた。「じゃあ、いちばん最近はどんな絵を描いた？」

「『アイロンのある風景』、三日前に描き終えた。部屋の中にアイロンが置いてある。それだけの絵や」

「それがどうして説明するのがむずかしいの？」

「それが実はアイロンではないからや」

順子は男の顔を見上げた。「アイロンがアイロンじゃない、ということ？」

「そのとおり」

「つまり、それは何かの身代わりなのね？」

「たぶんな」

「そしてそれは何かを身代わりにしてしか描けないことなのね？」

三宅さんは黙ってうなずいた。

空を見上げると、星の数が前よりもずっと多くなっていた。月がずいぶん長い距離を移動していた。三宅さんは手にしていた長い枝を最後に火の中に放り込んだ。順子は彼の肩にそっともたれかかった。三宅さんの衣服には何百もの焚き火のくすんだにおいが染み着いていた。彼女はそのにおいを長く吸い込んだ。

「ねえ三宅さん」

「なんや？」

「私ってからっぽなんだよ」

「そうか」

「うん」

目を閉じるとわけもなく涙がこぼれてきた。涙は次から次へと頰をつたって落ちた。順子は右手で三宅さんのチノパンツの膝の上あたりをぎゅっと強く握りしめた。身体が細かくぶるぶると震えた。三宅さんは手を彼女の肩にまわして、静かに抱き寄せた。でも涙はとまらなかった。

「ほんとに何もないんだよ」と彼女はずいぶんあとになってかすれた声で言った。

「きれいにからっぽなんだ」

「わかってる」

「ほんとにわかってるの？」

「そういうことにはけっこう詳しいからな」

「どうしたらいいの？」

「ぐっすり寝て起きたら、だいたいはなおる」

「そんな簡単なことじゃないよ」

「そうかもしれんな。そんな簡単なことやないかもしれん」

丸太のどこかに含まれていた水分が蒸発するときの、しゅうっという音が聞こえた。

三宅さんは顔を上げて目を細め、しばらくそっちを見ていた。

「じゃあどうしたらいいのよ？」と順子は尋ねた。

「そやなあ……、どや、今から俺と一緒に死ぬか？」

「いいよ。死んでも」

「真剣にか？」

「真剣だよ」

三宅さんは順子の肩を抱いたまましばらく黙っていた。順子は彼の心地よく着古された革ジャンパーの中に顔を埋めていた。

「とにかく、焚き火がぜんぶ消えるまで待て」と三宅さんは言った。「せっかくおこした焚き火や。最後までつきあいたい。この火が消えて真っ暗になったら、一緒に死のう」

「いいよ」と順子は言った。「でもどうやって死ぬの？」

「考えてみる」

「うん」

順子は焚き火のにおいに包まれて目を閉じていた。肩にまわされた三宅さんの手は大人の男にしては小さく、妙にごつごつとしていた。私はこの人と一緒に生きることはできないだろうと順子は思った。私がこの人の心の中に入っていくことはできそうにないから。でも一緒に死ぬことならできるかもしれない。

しかし三宅さんの腕に抱かれているうちに、だんだん眠くなってきた。きっとウィスキーのせいだ。大半の木ぎれは灰になって崩れてしまったが、いちばん太い流木はまだオレンジ色に輝いていたし、その静かな温かみを肌に感じることもできた。それが燃え尽きるまでには、まだしばらく時間がかかりそうだ。

「少し眠っていい？」と順子は尋ねた。

「いいよ」

「焚き火が消えたら起こしてくれる？」

「心配するな。焚き火が消えたら、寒くなっていやでも目は覚める」

彼女は頭の中でその言葉を繰り返した。焚き火が消えたら、寒くなっていやでも目は覚める。それから体を丸めて、束の間の、しかし深い眠りに落ちた。

神の子どもたちはみな踊る

善也《よしや》は最悪の二日酔いの中で目を覚ました。懸命に目を開けようとするのだが、片目しか開かない。左のまぶたが言うことをきかないのだ。夜のあいだに頭の中が虫歯でいっぱいになってしまったみたいな感触があった。腐りかけた歯茎から汚い汁がにじみ出て、脳味噌を内側からじわじわと溶かしている。そのまま放っておいたら脳味噌はやがて消えてなくなってしまうだろう。でもそうなるのならそうなってもしょうがないじゃないか、という気もした。できることならもう少し眠っていたい。しかしこれ以上眠れっこないことはよくわかっていた。眠るには気分が悪すぎる。

枕元の時計に目をやったが、時計はなぜか消えてなくなっていた。時計があるべき場所に、時計がないのだ。眼鏡もない。たぶん自分で無意識にどこかに投げとばしたのだろう。前にも同じようなことをやった。

起きあがらなくちゃとは思うのだが、上体を半分起こしただけで意識がもつれ、また枕の中にどっと顔を埋めてしまう。近所を物干し竿の販売車がとおりかかった。不要の物干し竿をひきとって、新品の竿に交換してくれる。物干し竿の値段は20年前の値段と同じなのだと、スピーカーの声は主張していた。抑揚のない、間延びした、中年の男の声だった。その声を聞いていると、船酔いをしたように意識がもつれた。でもむかむかするだけで吐けない。

二日酔いで苦しい思いをしているときには、いつもテレビで朝のワイドショーを見るんだという友人がいた。そこに登場する芸能レポーターたちの耳ざわりな魔女狩りの声を聞いていると、前夜から胃の中に残っているものが、うまく吐けるということだった。

しかしその朝の善也には、起き上がってテレビの前までいく元気はなかった。なにしろ息をするのさえ面倒なのだ。透明な光と白い煙が、目の奥で乱雑に、しかし執拗に混ざりあっていた。展望が妙に平板だった。死ぬというのはこういうものなんだろうか、と彼はふと思った。いずれにせよこんな思いは一度でたくさんだ。今このまま死んでもいい。だから、神様、お願いですから、もう二度と同じ目にあわせないでください。

神様のことで母親を思い出した。水が飲みたくて、母親を呼ぼうとしたが、声を出しかけてから、ここには自分しかいないことに思い当たった。母親は三日前、ほかの信者さんたちと関西に出かけた。まったく人さまざまだな、と彼は思う。母親は神様のお使いのボランティアで、息子は超重量級の二日酔いときた。起きあがれない。左目さえまだ開かない。誰とこんなに酒を飲んだんだっけな。ぜんぜん思い出せない。思い出そうとすると、頭の芯が石に変わっていく。あとでゆっくり思い出そう。

たぶんまだ正午にはなっていない。でも窓のカーテンの隙間から入ってくる光のまぶしさから、十一時はまわっているだろうと善也は見当をつけた。勤め先は出版社だったから、彼のような若い社員でも多少の遅刻は大目に見てもらえた。そのぶん残業をすれば仕事の帳尻はあう。しかし午後になってから出社すると、さすがに上司にちくちくと嫌みを言われた。嫌みは聞き流せたが、就職を紹介してくれた知り合いの信者さんに迷惑をかけることは避けたかった。

結局家を出たのは、一時近くだった。いつもなら適当な理由を作って会社を休んでしまうところなのだが、今日中にどうしても段組みをしてプリントアウトをすませてしまわなくてはならない文書がディスクの中に残っていたし、それはほかの人間にはまかせられない作業だった。

母親と二人で暮らしている阿佐ヶ谷の賃貸マンションを出て、中央線で四ツ谷まで行き、そこで丸ノ内線に乗り換え、霞ヶ関まで行って日比谷線に再び乗り換え、神谷町駅で降りた。たよりない足で多くの階段を上り、多くの階段を下りた。神谷町の駅の近くに彼の勤めている出版社はあった。海外旅行関係の本を専門とする小さな出版社だった。

その夜の十時半ごろ、帰宅の途中、霞ヶ関駅で地下鉄を乗り換えるときに、彼はその耳たぶの欠けた男を目にした。年齢はおそらく50代半ば、髪は半分白くなっている。長身で、眼鏡はなし、古風なツイードのオーバーコートを着て、右手に革鞄をさげている。男は日比谷線のホームから千代田線のホームに向けて、深く考え事をしている人のようなゆっくりとした歩調で歩いていた。善也は迷いもなく、あとをついていった。気がつくと喉の奥が古い革のように乾いていた。

善也の母親は43歳だったが、30代半ばにしか見えなかった。顔立ちは端正で、いかにも清楚な感じがした。粗食と、朝夕に行う激しい体操のせいでスタイルはきれいに保たれ、肌は艶やかだった。おまけに善也とは18歳しか年が違わなかったから、しょっちゅう姉と間違えられた。

それにくわえて、彼女には母親としての自覚がもともと希薄だった。あるいはただ単にエキセントリックだった。善也が中学校にあがり、性的な関心に目覚めてからも、平気で下着姿で、ときには全裸で、家の中を歩き回った。寝室はさすがに別だったが、夜中にさびしくなると、ほとんど何も身につけないかっこうで彼の部屋にやってきて、布団の中に潜り込んだ。そして犬か猫のように、善也の身体に腕をまわして眠った。

母親に邪気のないことはよくわかっていたが、そんなとき善也の心はけっして穏やかではなかった。勃起していることを母親に悟られないために、彼はひどく不自然な姿勢をとらなくてはならなかった。

母親と致命的な関係におちいることを恐怖するがゆえに、善也は手軽にセックスの相手をしてくれるガールフレンドを必死になって捜し求めた。そのような相手が身近に見つからない時期には、意識して定期的にマスターベーションをした。高校生のうちから、アルバイトした金で風俗店にまで通った。そのような行為は、余った性欲を処理するためというよりは、むしろ恐怖心から発したものだった。

適当な段階で家を出て、一人暮らしを始めるべきだったのだろう。善也もそれについてはずいぶん思い悩んだ。大学に入ったときにも考えたし、就職したときにも考えた。しかし結局、25歳の今にいたるまで、家を出ることはできなかった。一人で放っておいたら、母親が何をしでかすかわかったものではないというのも、理由のひとつである。善也はこれまでに何度となく、母親がその突発的で往々にして破滅的な(そして善意に満ちた)思いつきを実行に移すのを、全力を尽して阻止してきたのだ。

それから、もし今ここでとつぜん自分が家を出ると言い出したら、おそらくひどい騒ぎがもちあがるはずだ。善也といつか別に暮らすことになるかもしれないなんて、彼女は一度たりとも考えたことがないはずだ。13歳になって、自分が信仰を捨てると宣言したとき、母親がどれほど深い悲嘆にくれ、取り乱したか、善也は今でもよく覚えていた。半月間ほとんど何も食べず、口をきかず、風呂に入らず、髪もとかさず、下着も替えなかった。生理の手当さえろくにしなかった。そんなに汚く臭くなった母親を目にしたのは初めてのことだった。それが再現するかもしれないと想像しただけで、善也の胸は痛んだ。

善也には父親がいない。生まれたときから、彼には母親しかいなかった。善也のお父さんは『お方』（彼らは自分たちの神をそういう名で呼んだ）なんだよ、と母親は小さい頃から彼に繰り返し言い聞かせていた。『お方』だからお空の上にしかいられないの。私たちといっしょに住むことはできない。でもお父さんであるその方は、いつも善也のことを気にかけて見まもっていらっしゃるのよ。

善也の子ども時代の「導き役」をつとめた田端さんも同じことを言った。

「たしかに君にはこの世界のお父さんはいない。それについてあれこれとつまらないことを言う人だって世間にはいるだろう。残念なことだけれど、世間の多くの人の目は曇っていて、真実の姿がうまく見えないんだ。でもね善也くん、君のお父さんである方は世界そのものなんだ。君はその愛の中にすっぽりと包まれて生きているんだ。それを誇りに思って、正しく生きなくてはいけないよ」

「だって神様はみんなのものでしょう？」と小学校に入ったばかりの善也は言った。

「お父さんというのは、一人ひとりにべつべつについているものじゃないの」

「いいかい善也くん、君のお父さんであるその方はいつか、君だけのものとして、君の前に姿をお見せになる。予想もしないようなときに、予想もしないような場所で、君はその方にめぐり会うことができるだろう。しかしもし疑いの心を抱いたり、信仰心を捨てたりしたら、がっかりして永遠に君の前には姿を見せられないかもしれない。わかったかい？」

「わかりました」

「私の言ったことをずっと覚えていられるね？」

「はい、覚えています。田端さん」

でも正直なところ、善也にはうまくのみこめなかった。自分が「神の子」というような特別な存在だとは思えなかったからだ。どう考えても、自分はどこにでもいる普通の子どもだった。というよりもむしろ「普通より少しばかり下の場所にいる」子どもだった。目立つところもなかったし、しょっちゅうへまをしていた。それは小学校の高学年になっても同じだった。勉強の成績はまずまずだったが、スポーツに関しては救いようがなかった。足は遅かったし、ひょろひょろしていて、近眼で手は不器用だった。野球の試合に出ればたいていいのフライを落とした。チームメートは文句を言い、見物している女の子たちはくすくす笑った。

彼は夜寝る前に、父親である神様にお祈りをした。いつまでも変わることなく信仰心を堅く持ち続けますから、うまく外野フライがとれるようにしてください。それだけでいいんです。ほかには（今のところ）何も求めません。もし本当に神様が父親であるなら、それくらいの願いは聞き入れてくれてもいいはずだった。でも願いはかなえられなかった。外野フライは彼のグローブからこぼれ落ち続けた。

「善也くん、それは『お方』を試すことだ」と、田端さんはきっぱりと言った。「祈るのは悪いことではない。しかし君はもっと大きなこと、もっと広いことについて祈らなくてはならない。具体的な何かについて、期限を区切って祈るのは、正しいことではないのだよ」

善也が17歳になったときに、母親は彼の出生の秘密（のようなもの）を打ち明けてくれた。もうそろそろ善也もそれを知ってもいい時期だものね、と母親は言った。「まだ十代のころ、私は深い闇の中に生きていたの」と母親は語った。「私の魂はできたての泥の海のように混乱して、乱れていた。正しい光は暗雲のうしろに隠されていた。それで、私は何人かの男の人と愛もなくまぐわった。まぐわいのことはわかるわね？」

わかる、と善也は言った。性的なことになると、母はときどきひどく古風なことばを使った。彼はそのときにはもう、数人の女性と「愛もなくまぐわって」いた。

母親は話を続けた。「最初に孕《はら》んだのは高校二年生のときだった。そのときはそれがとくに大事なことだとも思わなかった。友だちの紹介してくれた病院に行って、堕胎手術をしてもらった。産婦人科の先生は若くて親切な人で、手術のあと避妊について講義をしてくれた。堕胎は身体にとっても心にとっても良い結果を及ぼさないし、性病の問題もあるから、必ずこれを使うようにしなさいと言って、新しいコンドームを一箱くれた。

私はコンドームならちゃんと使いましたと言った。先生は言った、『じゃあつけ方がよくなかったんだね。みんな意外に正しい使い方を知らないんだ』。でもね、私はそんなに馬鹿じゃない。すごく気をつけて避妊をしていたのよ。裸になったらすぐに、自分の手で相手にコンドームをつけたの。男なんて信用できないと思っていたから。コンドームのことは知っているわよね？」

知っている、と善也は言った。

「その二カ月後にまた孕んだの。前よりももっと気をつけていたのに、それでも孕んでしまったの。信じられなかった。でもしかたないから同じお医者さんのところに行った。お医者さんは私を見て言った。『注意するように言ったばかりじゃないか。いったい何を考えているんだ？』。私は泣きながら、どんなに避妊に気を配ってまぐわったか説明した。でも信じてもらえなかった。『正しくコンドームをつければ、こんなことになるわけはないんだ』と叱られた。

話せば長くなるんだけど、それから半年くらいあと、ちょっと不思議ないきさつがあって、私はそのお医者さんと、まぐわうようになったの。彼はそのとき30歳で、まだ独身だった。話は退屈だったけれど、正直でまっとうな人だった。右の耳たぶが欠けていて、それは幼いときに犬に食いちぎられたためだった。道を歩いていたら、見たこともない大きな黒い犬がとびかかってきて、耳を嚙みちぎったんだって。でも、まだ耳たぶでよかったよ、と彼は言った。耳たぶがなくても人生にとくに支障はないものね。鼻だとそうはいかないよ。たしかにそのとおりだと私も思ったわ。

彼とつきあっているうちに、私はだんだん正常な自分をとり戻してきた。彼とまぐわっていると、余計なことは何も考えないですんだ。私は彼の半分しかない耳だって好きになった。仕事熱心な人だったから、ベッドの中でも避妊の講義をした。いつどのようにコンドームをつけて、いつどのようにはずせばいいか。文句のつけようのない見事な避妊だった。それなのに私はまた孕んでしまった」

母親は恋人の医者のところに行って、自分が妊娠しているらしいことを告げた。医者は検査をして、それを確認した。しかし自分が父親であることは認めなかった。僕は専門家として完全な避妊をした、と彼は言った。となると、君がほかの男と関係を持ったとしか思えない。

「私はその言葉を聞いてものすごく傷ついたの。怒りで体が震えた。私が傷つく気持ちはわかるわよね？」

わかる、と善也は言った。

「彼とつきあっているあいだ、ほかの男とは一切まぐわいをしなかった。それなのに彼は、私のことをただのふしだらな不良娘だとしか思っていなかったのね。それっきり二度と彼には会わなかった。堕胎手術も受けなかった。このまま死んでしまおうと思った。もしそのとき、田端さんがふらふらと道を歩いている私を見かけて声をかけてこなかったら、きっと私は大島行きの船に乗って、デッキから海に飛び込んで死んでいたと思う。死ぬのはぜんぜん怖くなかったから。もし私がそこで死んでいたら、もちろん善也はこの世に生まれてこなかったわよね。でも田端さんの導きのおかげで、私はこのように救われたの。ようやくほんものの光をみつけることができた。そしてまわりの信者さんたちのたすけを借りて、善也をこの世界に産み落としたの」

母に会ったとき、田端さんは言った。

かくも厳格に避妊をしていながら、あなたはなおかつ妊娠なさった。それも三度もつづけて妊娠した。偶然の事故だと思われますか？　私はそうは思いません。三度かさなった偶然は、もはや偶然ではありません。三というのはまさに『お方』の顕示の数字なのです。言い換えるなら、大崎さん、『お方』があなたに子どもをもうけることを求めておられるのです。大崎さん、それは誰の子どもでもありません。天におられる方のお子さまなのです。私はその生まれてくる男の子に善也という名前をつけましょう。田端さんの予言通りに男の子が生まれ、善也と名付けられ、母親はもう誰ともまぐわうことなく、神の使いとして生きることになった。

「ということは」と善也はおずおずと口をはさんだ、「僕のお父さんは、生物学的にいえば、その産婦人科のお医者さんということになるんだね」

「そうじゃないの。その人は完璧な避妊をしたのよ。だから田端さんがおっしゃるように、善也のお父さんは『お方』なのよ。肉のまぐわいによってではなく、『お方』のご意志によって善也はこの世界に生まれたのよ」、母親は燃えるような目できっぱりと言った。

　母親は心からそう信じ込んでいるようだった。でも善也はその産婦人科の医者こそ自分の父親だと確信した。きっと使ったコンドームに物理的な問題があったのだ。それ以外に考えられないじゃないか。

「それで、そのお医者さんは、母さんが僕を産んだことを知っているの？」

「知らないと思う」と母親は言った。「知っているわけがないわ。それっきり会ってないし、連絡もしていないから」

男は千代田線の我孫子行きの電車に乗った。善也もあとから同じ車両に乗り込んだ。夜の十時半を過ぎた電車はそれほど混んではいない。男は席に座り、鞄の中から雑誌をとりだして、読みかけのページを開けた。何かの専門誌のように見えた。善也は向かいに腰を下ろし、手に持っていた新聞を広げて読むふりをした。男はやせて、生まじめそうな彫りの深い顔をしていた。どことなく医者らしい雰囲気がある。年齢も合致している。そして右側の耳たぶも欠けている。それはたしかに犬に食いちぎられたあとのように見えなくもない。

この男が自分の生物学的な父親であることに間違いはない、善也は直感的にそう思った。しかしこの男は、僕という息子が世の中に存在することすら、おそらく知らないはずだ。そしてもし僕がここで、その事実を彼に向かって打ち明けても、簡単には信じてはくれないだろう。彼はなにしろ専門家として完璧な避妊をしたのだから。

電車は新御茶ノ水を過ぎ、千駄木を過ぎ、町屋を過ぎ、やがて地上に出た。駅で停まるごとに、乗客の数は減っていった。しかし男はわき目もふらず雑誌を読んでいた。席を立つ気配はない。善也はときおり視線の端のほうで男の様子をうかがいながら、夕刊を読むともなく読み、その合間に昨夜のことを少しずつ思い出した。善也は大学時代の親しい友人と、その友人の知り合いの二人の女の子と一緒に、六本木に飲みにでかけた。そのあとで四人でディスコに入った記憶がある。そんな経緯が彼の頭によみがえってきた。それで結局、相手の女の子とセックスはしたんだっけ？　いや、おそらく何もしてないだろう。あんなに酔っぱらっていたんだもの、まぐわうのは無理だ。

夕刊の社会面は相変わらず地震関連の記事で埋まっていた。母親とほかの信者さんたちは、大阪にある教団の施設に泊まりこんでいるはずだ。彼らは毎朝リュックに生活物資を詰め込み、電車で行けるところまで行き、あとは瓦礫に埋もれた国道を神戸まで歩いた。そして人々に生活必需品を配った。リュックの重さは15キロにもなると母親は電話で言っていた。その場所は自分からも、自分の向かいに座って熱心に雑誌を読んでいる男からも、何光年も遠く離れたところにあるように善也には感じられた。

小学校を卒業するまで、善也は週に一度は母親といっしょに布教活動に出かけた。母親は教団でいちばん布教の成績がよかった。美人で若々しく、いかにも育ちがよさそうで（事実よかった）、人好きがした。おまけに小さな男の子の手を引いている。彼女を前にするとたいていの人は警戒心を解いた。宗教には興味はないけれど、話を聞いてあげるくらいならかまわないだろうという気持ちになった。彼女は地味な（しかし身体の線を美しく出した）スーツを着て家々をまわり、相手に布教のパンフレットを渡し、押しつけがましくない態度で信仰を持つことの幸福についてにこやかに語り、何か困ったことや悩み事があったら、是非私たちのところに訪ねてきてくださいねと言った。

「私たちは何かを無理に押しつけたりはしません。私たちは差し出すだけです」と彼女は熱い声で、燃えるような目で語った。「私自身もかつて、魂が深い闇の中をさまよっているときに、この教えによって救いを得ました。私はそのとき、まだおなかの中にいたこの子といっしょに、海に身を投げて死のうと決めていたのです。でも私は天におられる方の手によって救いあげられ、今ではこの子とともに、そして『お方』とともに生きる輝きの中にいます」

善也は母親に手を引かれて知らない家の戸口をまわることを、とくに苦痛には感じなかった。そういう折には母親はとくべつ優しかったし、その手は温かかった。冷たく門前払いをくわされることはしょっちゅうだったが、それだけにたまに親切な言葉をかけてもらうと嬉しかった。新しく信者さんを獲得したときには、誇らしく思ったものだ。これでお父さんである神様も、僕のことを少しは認めてくれるかもしれないと善也は思った。

しかし中学校にあがってほどなく、善也は信仰を捨てた。独立した自我が彼の中で目覚めるにつれて、社会通念とは相いれない教団独自の厳格な戒律を、そのまま受け入れていくことが現実的にむずかしくなったということがある。でもそれだけではない。いちばん根本の部分で、善也を決定的に信仰から遠ざけたのは、父なるものの限りない冷ややかさだった。暗くて重い、沈黙する石の心だった。息子が信仰を捨てたことは母親を深く悲しませたが、善也の棄教の決意は揺るがなかった。

男が雑誌を鞄に戻し、席を立ってドアに向かったのは、もう少しで千葉県に入ろうという手前の駅だった。善也もあとから電車を降りた。男はポケットから定期券をとり出し、改札を抜けた。善也は改札に並んで乗り越し分を現金で精算しなくてはならなかった。それでも男が駅前で客待ちをしていたタクシーに乗り込むところになんとか間にあった。一台あとのタクシーに乗り込み、財布から真新しい一万円札を出した。

「あの車のあとを走ってくれる？」

運転手は疑わしそうな目で善也の顔を見た。それから一万円札を見た。

「お客さん、やばい話じゃないよね？　犯罪がらみとかさ」

「やばくない。大丈夫」と善也は言った。「普通の素行調査だから」

運転手は黙って一万円札を取り、車を出した。「でも料金はべつだよ。メーター倒すからね」

二台のタクシーはシャッターをおろした商店街を抜け、いくつかの暗い空き地の前を通り、窓に明かりのついた大きな病院の前を過ぎ、細かく仕切られた安手の建て売り住宅が並んだ地域を抜けていった。交通量はほとんど無きに等しかったから、尾行そのものはむずかしくはないし、スリリングでもなかった。運転手は気を利かせて、ときどき車間距離を開けたり縮めたりした。

「浮気とかそういうのを調べてるの？」

善也は言った。「いや、ヘッドハンティングの関係なんだよ。会社同士のひっこぬき」

「へえ」と運転手は驚いたように言った。「最近は会社同士のひっこぬきで、こんなことまでやるんだねえ。知らなかったな」

住宅がまばらになり、河に沿って工場や倉庫の並んだ地域に入った。人気がなく、新しい街灯だけがいやに目立っている。コンクリートの高い塀が長く続いているところで、前のタクシーが急に停まった。善也のタクシーの運転手も、その赤いブレーキランプにあわせて、百メートルばかり後ろでブレーキを踏んだ。ヘッドライトも消した。水銀灯の光が黒いアスファルトの路面を黙々と照らし、塀のほかに目につくものはない。塀の上には世界を威嚇するように鉄条網が厚く巡らされている。前のタクシーのドアが開いて、耳たぶの欠けた男が降りるのが遠目に見えた。善也は一万円札とはべつに千円札を二枚、何も言わずに運転手に渡した。

「お客さん、このへんはタクシーはあんまり通らないから、帰りは面倒だよ。少し待ってようか？」と運転手が言った。

善也はそれを断って車から降りた。

男は車を降りると、あたりを見まわすこともなく、コンクリートの塀に沿ったまっすぐな道路を前方に向けて歩いていった。男の足どりは地下鉄のホームを歩いていたときと同じように、ゆっくりとして規則的だった。よくできた機械人形が磁石に引き寄せられているみたいに見える。善也はコートの襟を立て、その隙間からときおり白い息を吐きながら、見とがめられない程度の距離をとって男のあとをついていった。耳に届くのは、男の革靴がたてるこつこつこつという匿名的な音だけだ。善也のはいているゴム底のローファーは、それとは対照的に無音だった。

あたりには人の生活の気配はなく、まるで夢の中でとりあえずしつらえられた架空の風景のようだ。長い塀が終わると、廃車置き場があった。金網の塀に囲まれて、車が堆く積み上げてある。長いあいだ雨ざらしになったうえに、水銀灯の光に一様に色を奪い取られている。男はその前を通り過ぎていった。

善也にはわけがわからなかった。こんな何もない寂れた場所でタクシーを降りる理由がどこにあるのだろう？　この男は家に帰るのではないのか？　あるいは家に帰る前に少しまわり道をしたかったのかもしれない。しかし二月の夜は散歩をするには寒すぎる。凍てついた風がときおり、善也の背中を押すようなかっこうで道路を吹き抜けた。

　廃車置き場が終わり、愛想のないコンクリートの塀がまたひとしきりつづき、それが途切れたところに狭い路地の入り口があった。男は勝手を知った様子で、とまどいもなくその路地に入っていった。路地の奥は暗く、何があるのか見定めることはできない。善也は少し躊躇したが、それでも男のあとを追って薄暗闇の中に足を踏み入れた。ここまでついてきたのだ。今更引き返すわけにはいかない。

　両側を高い壁ではさまれたまっすぐな隘路だった。すれ違うのもむずかしいくらい狭く、夜の海底のように暗い。あとは男の靴音だけがたよりだった。彼は善也の前を、今までと同じ歩調で歩き続けていた。光の届かない世界で善也はその音にすがるように歩を進めた。それから靴音が消えた。

　男は尾行されていることに気づいたのだろうか？　立ち止まって息をこらし、背後の様子をうかがっているのだろうか？　暗闇の中で善也の心臓が収縮した。しかし彼は鼓動を呑み込み、そのまま前に進んだ。かまうものか、もしあとをつけていることをとがめられたら、ありのままを話せばいいのだ。かえってそのほうが話は早いかもしれない。しかし路地はすぐに行き止まりになっていた。袋小路なのだ。正面が金属のフェンスでふさがれている。ただよく見るとそこには、人が一人やっと通り抜けられるくらいの穴が開いていた。誰かがむりにこじあけた穴だ。善也はコートの裾をまとめ、身をかがめて穴をくぐった。

金網の向こうは広々とした野原だった。いや、ただの野原じゃない。何かのグラウンドのように見える。善也は淡い月明かりの下に立ち、目を凝らして周囲を見まわしてみた。男の姿はどこにもない。

そこは野球場だった。善也が今立っているのは外野のセンターのあたりらしい。雑草が足で踏みつけられて、守備位置の部分だけ地面が傷跡のように露出している。ずっと向こうのホームベースのあたりにはバックネットが黒い翼としてそびえ、ピッチャーズ・マウンドが大地の瘤となって盛り上がっている。外野に沿って金網が高く張り巡らされていた。グラウンドを吹きわたる風が、ポテトチップの空き袋をどこでもない場所に向けて運んでいった。

善也はコートのポケットに両手をつっこみ、息をひそめ、何かが起こるのを待った。でも何も起こらなかった。彼はライト側を眺め、レフト側を眺め、ピッチャーズ・マウンドの方を眺め、足もとの地面を眺め、それから空を見上げた。輪郭がくっきりとした雲のかたまりがいくつか空に浮かんでいた。月がその縁を妙な色に染めていた。

草の中にかすかに犬の糞のにおいがした。男は消えてしまったのだ。あとかたもなく。田端さんがここにいたら、こう言うだろう。だからね、善也くん、『お方』は予想もつかないかたちで私たちの前に姿をお見せになるんだよ。

でも田端さんは三年前に尿道癌で死んでしまった。その最後の数カ月、はたで見ているのもつらいほどの激しい苦痛の中にあって、彼は一度たりとも神を試さなかったのだろうか？　この苦しみを少しでも軽減して下さいと神に祈らなかったのだろうか？　田端さんにはそれを（期限つきであれ、具体的であれ）祈るだけの資格があるように善也には思えた。あれほど面倒な戒律を厳格にまもって、神様と密接な関係を結んで生きていたのだから。それに――と善也はふと思う――神が人を試せるのなら、どうして人が神を試してはいけないのだろう？

こめかみの奥がわずかに疼いたが、それが二日酔いの残りなのか、それとも別の原因によるものなのか、うまく見分けることができない。善也は顔をしかめ、ポケットから両手を出し、ホームベースに向かってゆっくり大股に歩いた。ついさっきまで、息を詰めて父親らしき男のあとをつけていた。それ以外のことはほとんど何も頭に浮かばなかった。そのようにして、この見知らぬ町の野球場に運ばれてきた。しかし男の姿がいったん見失われてしまうと、それにあわせるように、一連の行為の重要性が、彼の中でとつぜん不明確になった。意味そのものが分解し、もうもとに戻らなくなってしまった。かつては外野フライをうまく捕球することが、生死をもわけるほどの重大な懸案であったのに、やがてそうではなくなってしまったのと同じように。

僕はいったいこのことで何を求めていたのだろう？　歩を運びながら善也は自分に問いかけた。僕は自分が今ここにあることの繋がりのようなものを確かめようとしていたのだろうか？　自分が新しい筋書きの中に組み込まれて、より整った新しい役割を与えられることを望んでいたのだろうか？　違うな、と善也は思う。そういうんじゃない。僕が追い回していたのはたぶん、僕自身が抱えている暗闇の尻尾のようなものだったんだ。僕はたまたまそれを目にして、追跡し、すがりつき、そして最後にはより深い暗闇の中に放ったのだ。僕がそれを目にすることはもう二度とあるまい。

善也の魂は今では、静かに晴れ渡ったひとつの時間とひとつの場所にたたずんでいた。その男が自分の実の父親であろうが、神様であろうが、あるいはたまたまどこかで右の耳たぶをなくしただけの無縁の他人であろうが、それはもうどうでもいいことだった。そこには既にひとつの顕現があり、秘蹟があったのだ。誉むべきかな。

彼はピッチャーズ・マウンドにあがり、すり減ったプレートの上に立ち、そこで思いきり背伸びをした。両手の指を組み、頭上にまっすぐのばした。冷たい夜の空気を肺に吸い込み、もう一度月を見上げた。大きな月だ。どうして月というのは日によって大きくなったり小さくなったりするのだろう。一塁側と三塁側には板張りのささやかな観客席が設けられていた。もちろん二月の真夜中だから、そこには誰もいない。ただまっすぐな板が、段差をつくって三列、冷ややかに並んでいるだけだ。バックネットの向こう側には、たぶん何かの倉庫なのだろう、窓のない陰気な建物が連なっている。明かりも見えない。音も聞こえない。

彼はマウンドの上で両腕をぐるぐるまわしてみた。それにあわせて、脚をリズミカルに前にやったり、横に出したりした。その踊りのような動きをしばらく続けていると、身体が少しずつ温まり、生体器官としてのまっとうな感覚が戻ってきた。気がつくと頭の痛みもほとんど消えかけている。

大学時代にずっとつきあっていた女の子は、彼のことを「かえるくん」と呼んだ。彼の踊り方が蛙に似ていたからだ。彼女は踊るのが好きで、よく善也をディスコに連れていった。「あなたってほら手足が長くて、ひょろひょろと踊るじゃない。でも雨降りの中の蛙みたいで、すごくかわいいわよ」と彼女は言った。

善也はそれを聞いていささか傷ついたが、それでも彼女につきあって何度も踊っているうちに、踊ることがだんだん好きになってきた。音楽に合わせて無心に身体を動かしていると、自分の身体の中にある自然な律動が、世界の基本的な律動と連帯し呼応しているのだというたしかな実感があった。潮の満干や、野原を舞う風や、星の運行や、そういうものは決して自分と無縁のところでおこなわれているわけではないのだ、善也はそう思った。

その女の子は、善也のペニスくらい大きなペニスを見たことがないと言った。こんなに大きくて踊るときに邪魔にならないの、と彼女はそれを手に取りながら尋ねた。特に邪魔にはならない、と善也は言った。たしかに彼のペニスは大きかった。子どもの頃からずっと一貫して大きかった。それで何か得をしたというような記憶はない。大きすぎるからという理由で、セックスすることを断られた経験だって何度かある。だいいちそれは美的見地から見ても大きすぎた。のそりとして、いかにも愚かそうに不器用そうに見えた。彼はそれをなるべく人目にさらすまいとつとめた。「善也のおちんちんがそんなに大きいのは、善也が神様の子どもであるしるしなのよ」と母親は自信たっぷりに言っていたし、彼もそれを素直に信じていた。でもあるとき、とつぜんすべてがばかばかしくなった。僕は外野フライがうまくとれることを祈り、それに対して神様は誰よりも大きな性器を僕に与えたのだ。どこの世界にそんな変な取引があるものか。

善也は眼鏡をはずしてケースに入れた。踊るのも悪くないな、と善也は思った。悪くない。目を閉じ、白い月の光を肌に感じながら、善也は一人で踊り始めた。深く息を吸い、息を吐いた。気分に合ったうまい音楽を思いつけなかったので、草のそよぎと雲の流れにあわせて踊った。途中で、どこかから誰かに見られている気配があった。誰かの視野の中にある自分を、善也はありありと実感することができた。彼の身体が、肌が、骨がそれを感じとった。しかしそんなことはどうでもいい。それが誰であれ、見たければ見ればいい。神の子どもたちはみな踊るのだ。

　彼は地面を踏み、優雅に腕をまわした。ひとつの動きが次の動きを呼び、更に次の動きへと自律的につながっていった。体がいくつもの図形を描いた。そこにはパターンがあり、ヴァリエーションがあり、即興性があった。リズムの裏側にリズムがあり、リズムの間に見えないリズムがあった。彼は要所要所で、それらの複雑な絡み合いを見渡すことができた。様々な動物がだまし絵のように森の中にひそんでいた。中には見たこともないような恐ろしげな獣も混じっていた。彼はやがてその森を通り抜けていくことになるだろう。でも恐怖はなかった。だってそれは僕自身の中にある森なのだ。僕自身をかたちづくっている森なのだ。僕自身が抱えている獣なのだ。

　どれくらいの時間踊り続けたのか、善也にはわからない。でも長い時間だ。わきの下が汗ばんでくるまで彼は踊った。それからふと、自分が踏みしめている大地の底に存在するもののことを思った。そこには深い闇の不吉な底鳴りがあり、欲望を運ぶ人知れぬ暗流があり、ぬるぬるとした虫たちの蠢きがあり、都市を瓦礫の山に変えてしまう地震の巣がある。それらもまた地球の律動を作り出しているものの一員なのだ。彼は踊るのをやめ、息を整えながら、底なしの穴をのぞき込むように、足もとの地面を見おろした。

善也は遠くの崩壊した街にいる母親のことを思った。もしこのままうまく時間が逆戻りして、今の僕が、その魂がまだ深い闇の中にあった若い時代の母親に巡り会うことができたとしたら、そこで何が起こるだろう？　おそらく二人は混迷の泥を同じくし、隙間もなく合致し、貪りあい、そして激しい報いを受けることだろう。でもかまうものか。そんなことを言いだしたら、もっと前に報いを受けてしかるべきだったのだ。僕のまわりでこそ都市は激しく崩れさるべきだったのだ。

大学を出たとき、恋人が彼に結婚してほしいと言った。「あなたと結婚したいのよ、かえるくん。あなたと一緒に暮らして、あなたの子どもを産みたいの。あなたと同じくらい大きなおちんちんを持った男の子を」

僕には君と結婚することができないんだ、と善也は言った。今まで言いそびれていたんだけど、僕は神様の子どもなんだ。だから僕は誰とも結婚することができない。

ほんとうに？

ほんとうに、と善也は言った。ほんとうに。悪いとは思うんだけど。

善也は足もとにかがみこみ、手で砂をすくった。そして指の間からそろそろと地面に戻した。何度かそれを繰り返した。冷たく不均一な土の感触を指に感じながら、田端さんのやせ細った手を最後に握ったときのことを、善也は思い出した。

「善也くん、私はもう長くは生きられない」と田端さんはしゃがれた声で言った。善也はそれを否定しようとしたが、田端さんは静かに首を振った。

「それはいいんだ。この世の人生は束の間の苦しい夢に過ぎないし、私はお導きによって、なんとかここまでくぐり抜けてきた。しかし死ぬ前に君にひとつ言っておかなくてはならないことがある。口にするのはとても恥ずかしいことだが、やはり言わなくてはならない。それは、私が善也くんのお母さんに対して幾度となく邪念を抱いたということだ。君も知っているように、私には家族がいるし、心から愛している。加うるに、君のお母さんは無垢な心を持った人だ。にもかかわらず、善也くんのお母さんの肉体を、私の心は激しく求めた。その思いを止めることはできなかった。私は君にそのことを謝りたい」

謝ることなんかありません。邪念を抱いていたのはあなただけじゃない。息子である僕だっていまだにろくでもない妄想に追いかけられているんだ。善也はそう打ち明けたかった。でもそれを言ったところで、田端さんを余計に混乱させるだけだろう。善也は黙って田端さんの手をとり、長いあいだ握っていた。胸の中にある想いを相手の手に伝えようとした。僕らの心は石ではないのです。石はいつか崩れ落ちるかもしれない。姿かたちを失うかもしれない。でも心は崩れません。僕らはそのかたちなきものを、善きものであれ、悪しきものであれ、どこまでも伝えあうことができるのです。神の子どもたちはみな踊るのです。その翌日、田端さんは息をひきとった。

善也はピッチャーズ・マウンドの上にかがみこんだまま、時の流れに身をまかせた。遠くのほうでかすかな救急車のサイレンが聞こえた。風が吹き、草の葉を踊らせ、草の歌をことほぎ、そしてやんだ。

神様、と善也は口に出して言った。

タイランド

アナウンスがあった。「ときはただいまきりゅのわるいとこをひっこしております。どなたさまもおざせきにおつきのうえしとべるをおしめください」。さつきはそのときぼんやり考え事をしていたので、タイ人スチュワードがいくぶんあやしげな日本語で放送したそのメッセージの意味が解読できるまでに少し時間がかかった。

当機はただ今、気流の悪いところを飛行いたしております。どなた様もお座席におつきの上、シートベルトをお締め下さい。

さつきは汗をかいていた。ひどく暑い。まるで蒸気であぶられているみたいだ。身体全体が火照って、身につけているナイロンのストッキングやブラジャーが耐え難いほど不快に感じられた。なにもかも脱ぎ捨てて自由になりたいと思った。彼女は首をあげてまわりを見回してみたが、暑がっているのはどうやら彼女ひとりだけのようだった。ビジネス・クラスのほかの乗客は、冷房の風を避け、肩から毛布をかけて小さくなって眠っていた。たぶんホットフラッシュだ。さつきは唇を嚙んだ。意識をべつのものに集中して、暑いことを忘れてしまおうと思った。先刻まで読んでいた本のページを開き、読み始めた。しかしもちろん忘れることなんてできなかった。尋常な暑さではないのだ。そしてバンコックに着くまでにはまだずいぶん時間がある。彼女はとおりかかったスチュワーデスに水を頼んだ。そしてバッグからピルケースを取り出し、飲み忘れていたホルモン錠剤を喉の奥に流しこんだ。

更年期という問題は、いたずらに寿命をのばしすぎた人類への、神からの皮肉な警告（あるいはいやがらせ）に違いないとさつきはあらためて思った。つい百年ちょっと前まで人間の平均寿命は50歳にも達しなかったし、月経が終了したあと20年も30年も生きるような女は、あくまで例外的なケースだった。卵巣や甲状腺が正常にホルモンを分泌しなくなった肉体を抱えて生きることのわずらわしさとか、閉経後のエストロゲンの減少とアルツハイマー症のあいだに相関関係があるかもしれないとか、そんなことはとくに頭を悩ませるほどの問題ではなかった。大多数の人々にとって、それよりは日々のまともな食事にありつくことの方がずっとさし迫った案件だったのだ。そう考えると結局のところ、医学の発達は人類の抱える問題をより多く浮上させ、細分化し、複雑化させただけではないのか？

しばらくあとでまた機内アナウンスがあった。今度は英語だった。「お客様の中にお医者様がいらっしゃいましたら、客室乗務員に声をおかけいただけますでしょうか？」

機内で病人が出たのだろう。さつきは名乗り出ようかと思ったが、少し考えてやめた。以前同じような状況で医者だと名乗り出たことが二度あったが、どちらの場合も、同じ飛行機に乗り合わせていた開業医とはちあわせすることになった。開業医たちには、前線で指揮をとっている古参将校にも似た落ちつきがあり、またさつきのような実戦経験のない専門的な病理医をひと目で見分ける眼力を備えているようだった。

「大丈夫です。私が一人で処理できると思います。先生はゆっくりお休みになっていてください」と彼らはクールに微笑んで言った。彼女はもごもごと間の抜けた言い訳をして、座席に引き上げてきた。そしてろくでもない映画の続きを見た。

でもひょっとしたらこの飛行機には、私以外には医者の資格をもった人間がひとりも乗り合わせていないかもしれない。あるいはその病人は甲状腺の免疫系に重大な問題をかかえているのかもしれない。もしそうだとしたら——そんな確率が高いとは思えないが——私のような人間でも役に立てることはあるかもしれない。彼女はひと息ついて、それから乗務員を呼ぶ手元のボタンを押した。

世界甲状腺会議はバンコック・マリオットの会議場で、四日間にわたっておこなわれた。甲状腺会議は、会議というよりはむしろ世界的なファミリー・リユニオンのようなものだった。参加する全員が甲状腺の専門医であり、ほとんど誰もがほとんど誰もを知っていたし、知らない場合には紹介された。狭い世界なのだ。昼間には研究発表があり、パネル・ディスカッションがおこなわれ、夜になるとあちこちで小さなプライベート・パーティーがひらかれた。親しい友人が集まって旧交を温めあった。みんなでオーストラリア・ワインを飲み、甲状腺の話をしたり、ゴシップを囁いたり、仕事のポジションについての情報を交換したり、医学ねたのきわどいジョークを披露したり、カラオケ・バーでビーチボーイズの「サーファーガール」を歌ったりした。

バンコック滞在中さつきは主にデトロイト時代に知り合った友人たちと行動をともにした。さつきにとっては、彼らといっしょにいるときがいちばん気楽だった。彼女は十年近くデトロイトの大学病院に所属して、そこで甲状腺の免疫機能についての研究を続けていたのだ。しかし途中から、証券アナリストをしているアメリカ人の夫とのあいだがうまくいかなくなった。彼はアルコール依存症の傾向が年々強くなり、おまけにそこにはもう一人の女性が存在した。彼女がよく知っている女性だった。まず別居し、一年間にわたって弁護士をまじえた激しい応酬があった。「いちばん決定的だったのは、君が子どもをほしがらなかったことだ」と夫は主張した。

三年前にやっと離婚の調停が成立したのだが、その数カ月後に、病院の駐車場に停めていた彼女のホンダ・アコードの窓ガラスとヘッドライトが誰かに叩き割られ、ボンネットに白ペンキで「JAP CAR」と書かれるという事件が起きた。彼女は警察を呼んだ。やってきた大柄の黒人警官は被害届に書き込みをしてから、「ドクター、ここはデトロイトだ。今度はフォード・トーラスを買うことですね」と言った。

そんなこんなでさつきはアメリカに住み続けることにすっかり嫌気がさして、日本に帰ろうと思った。東京の大学病院にポジションもみつかった。「長年の研究がせっかく実りかけているのに、それはないだろう」と共同研究をしているインド人の同僚が彼女を引き留めた。「うまくいけばノーベル賞候補になることだって夢じゃないぞ」。しかしさつきの帰国の決心は変わらなかった。彼女の中で何かが切れてしまったのだ。

会議が終わったあとも、さつきは一人でバンコックのホテルに残った。ちょうどうまい具合につづけて休暇がとれたから、近くのリゾート地に行って、一週間ばかり骨休めしてこようと思うの、と彼女はみんなに言った。本を読んで、泳いで、プールサイドで冷たいカクテルを飲んで。そいつはいいね、とみんなは言った。人生には息抜きが必要だものね。甲状腺のためにもいいことだし。彼女は友人たちと握手し、抱擁し、再会を約束して別れた。

翌朝早く、予定通り迎えのリムジンがホテルの前に停まった。宝石のように美しく磨き込まれた古い型の紺色のメルセデス・ベンツで、車体にはしみひとつない。新車よりも美しい。それは誰かの非現実的な妄想からそのまま抜け出してきたみたいに見えた。ガイド兼運転手をつとめるのはおそらくは六十を過ぎた、やせたタイ人の男だった。糊のきいた真っ白な半袖のシャツを着て、黒いシルクのネクタイをしめ、濃いサングラスをかけている。日焼けして、首がひょろりと長い。さつきの前に立つと、彼は握手をするかわりに、両手を前に揃えて日本式に軽く頭をさげた。

「私のことはニミットと呼んで下さい。これから一週間ドクターのおともをさせていただきます」

ニミットというのがファーストネームなのかラストネームなのか、それもわからない。しかしとにかく彼はニミットなのだ。ニミットはとても礼儀正しくてわかりやすい英語を話した。アクセントはくだけたアメリカ風でもなく、気取った抑揚のあるイギリス風でもなかった。というか、アクセントというものがほとんど聞き取れない。以前どこかで耳にしたことのある英語だったが、それがどこだったか、さつきには思い出せなかった。

「こちらこそよろしく」とさつきは言った。

二人は暑くて猥雑でうるさくて空気の汚いバンコック市内を通り抜けた。車は渋滞し、人々は怒鳴りあい、クラクションが空襲警報のように空気を裂いていた。おまけに道路の真ん中を象が歩いていた。それも一頭や二頭ではない。こんな都会で象たちはいったい何をしているのですか、とさつきはニミットに質問した。

「田舎の人々がバンコック市内にどんどん象を持ち込んで来るのです」とニミットは丁寧に説明した。「もともとは林業に使っていた象です。しかし林業だけでは生計がたてられず、象に芸をさせて外国人観光客から金をとるつもりでやってきたのですが、おかげで市内の象の数が増えすぎて、市民はとても迷惑しています。何かに驚いて通りを暴走する象もいて、このあいだはずいぶんな数の車が壊されました。もちろん警察も取り締まっているのですが、象使いから象をとりあげることができません。象をとりあげたところで置場所もないし、餌代だって馬鹿になりません。だからこのように放置するしかないのです」

車はようやく街の外に出て、それから高速道路に乗り、まっすぐ北に向かった。彼はグローヴ・コンパートメントからカセットテープを取り出してカーステレオに入れ、小さな音でかけた。ジャズだった。聞き覚えのある懐かしいメロディーだった。

「よかったら音をもっと大きくしてくれませんか」とさつきは言った。

「かしこまりました」とニミットは言って、カーステレオのボリュームをあげた。曲は『言いだしかねて（I Can't Get Started)』だった。昔よく聴かされたのと同じ演奏だ。

「ハワード・マギーのトランペット、レスター・ヤングのテナーサックス」とさつきは独り言みたいにつぶやいた。「ＪＡＴＰでの演奏」

ニミットはバックミラーの中にある彼女の顔を見た。「ほう、ドクターはよくジャズをご存じですね。お好きなのですか」

「父親が熱心なジャズ・ファンだったの。子どもの頃によく聴かされた。同じ演奏を何度もかけて、演奏者の名前を覚えさせられるの。間違いなく言えたら、お菓子をもらえた。だから今でもよく覚えているわ。古いジャズばかりだから、新しい人たちのことはぜんぜんわからないけれど。ライオネル・ハンプトン、バド・パウエル、アール・ハインズ、ハリー・エディソン、バック・クレイトン……」

「私も古いジャズしか聴きません。お父さまはお仕事は何をしておられたのですか？」

「やはり医者よ。小児科医。でも私が高校に入って少しして亡くなってしまった」

「それはお気の毒です」とニミットは言った、「ドクターは今でもジャズはお聴きになるのですか？」

彼女は首を振った。「もうずいぶん長いあいだまともには聴いてないわね。結婚した相手がたまたまジャズ嫌いだったの。音楽というとほとんどオペラしか聴かない人だった。家には立派なステレオ装置があったんだけど、オペラ以外の音楽をかけると露骨にいやな顔をした。オペラ・マニアというのはたぶん世界でいちばん根性の狭い人種じゃないかしら。私は夫と別れたけど、もうこれから死ぬまで一度もオペラを聴かなくてもとくに寂しいとは思わないでしょうね」

　ニミットは軽くうなずいただけで、それ以上何も言わなかった。ただ静かにメルセデスのステアリングを握り、前方の路面に視線を固定させていた。彼はとても美しいステアリングの切り方をした。きちんと同じ場所に手をあて、同じ角度のところで持ち変えた。曲はこれもまた懐かしいエロール・ガーナーの『四月の思い出』にかわった。ガーナーの「コンサート・バイ・ザ・シー」は父の愛聴盤だった。さつきは目を閉じ、古い記憶の中に沈み込んだ。父親が癌を患って死ぬまでは、彼女のまわりのものごとはすべてうまく運んでいた。悪いことは何ひとつ起こらなかった。それから出し抜けに舞台が暗転し（気がついたときには父親は消えていた）、すべてが悪い方向を向いてしまった。まったくべつの筋書きの話が始まったみたいに。母親は、父親が死んだあと一カ月もたたないうちに、ジャズ・レコードのコレクションと大きなステレオ装置をすべて処分してしまった。

「ドクターはご出身は日本のどちらですか？」

「京都です」とさつきは言った。「十八までしか住んでいなかったし、それ以来ほとんど戻っていないけど」

「ひょっとして、京都は神戸のすぐ近くにあるのではないですか？」

「遠くはないけれど、すぐ近くというのでもないわ。少なくとも地震の被害はそれほどなかったみたいね」

ニミットは追い越し車線に移り、家畜を満載した大きなトラックを何台か続けて軽々と追い抜き、それから走行車線に戻った。

「それはなによりです。先月の神戸の大地震ではたくさんの人が亡くなりました。ニュースで見ました。とても悲しいことです。ドクターのお知り合いには、神戸に住んでおられる方はいらっしゃいませんでしたか？」

「いいえ。神戸には私の知り合いは一人も住んでいないと思う」と彼女は言った。でもそれは真実ではなかった。神戸にはあの男が住んでいる。

ニミットはしばらくのあいだ黙っていた。それから彼女の方に少しだけ首を曲げて言った。「しかし不思議なものですね、地震というのは。私たちは足もとの地面というのは堅くて不動のものだと、頭から信じています。『地に足をつける』という言葉もあります。ところがある日突然、そうではないことがわかる。堅固なはずの地面や岩が、まるで液体のようにぐにゃぐにゃになってしまう。そのようにテレビのニュースで聞きました。液状化《リクイダイゼーション》と言いましたっけ？　幸いなことにタイには大きな地震はほとんどありませんが」

さつきはシートの背中にもたれて、目を閉じた。そして黙ってエロール・ガーナーの演奏に耳を澄ませた。あの男が重くて固い何かの下敷きになって、ぺしゃんこにつぶれていればいいのにと彼女は思った。あるいはどろどろに液状化した大地の中に飲み込まれていればいいのに。それこそが私が長いあいだ望んできたことなのだ。

ニミットの運転する車が目的地に着いたのは午後三時だった。正午になるとニミットは高速道路沿いのサービス・エリアで車を停め、休憩をとった。さつきはそこのカフェテリアで粉っぽいコーヒーを飲み、甘いドーナッツを半分だけ食べた。彼女が一週間滞在することになっていたのは山の中にある高級リゾート・ホテルだった。谷間を流れる渓流を見おろすように建物が並んでいる。斜面には美しい原色の花が咲き乱れ、鳥たちが鋭い声で啼きながら、樹木から樹木へと飛び移っていた。彼女のために用意されていた部屋は独立したコテージだった。広々とした明るいバスルームがついて、ベッドは優雅な天蓋つきで、24時間ルーム・サービスがとれる。ロビーにはライブラリがあって、そこで本やCDやヴィデオを借りることができた。すべては清潔で、目がいきとどき、金がかかっていた。

「今日は長い移動でお疲れになったことでしょう。ゆっくりお休み下さい、ドクター。明日の朝十時にここにお迎えにあがります。そしてプールにお連れします。タオルと水着だけをご用意になってください」とニミットは言った。

「プール？　だってプールならこのホテルの中に大きなものがあるでしょう？　その

ように聞いたけれど」

「ホテルのプールは混んでいます。ラパポート様からのお話では、ドクターは本格的に水泳をなさるということでしたので、ラップ・スイミングのできるプールをひとつ近隣に探しておきました。料金はかかりますが、たいした額ではありません。きっとお気に召すと思います」

ジョン・ラパポートは、さつきのために今回のタイ滞在をアレンジしてくれたアメリカ人の友人だった。クメール・ルージュが猛威を振るっていた頃からずっと、新聞特派員として東南アジアを転々としていて、タイでも顔が広かった。彼がガイド兼運転手としてニミットを推薦してくれたのだ。〈君は何も考えなくていい。とにかくこのニミットという男に黙ってまかせておけば、すべてはうまく運ぶ。これがなかなかの人物でね〉とラパポートはいたずらっぽく彼女に言った。

「わかったわ。あなたにまかせます」とさつきはニミットに言った。

「それでは明朝十時に」

さつきは荷物をほどき、ワンピースとスカートのしわをのばしてハンガーにかけ、それから水着に着替えてプールサイドに行った。たしかにニミットが言ったように、それは真剣に泳ぐためのプールではなかった。ひょうたん型で、中央に美しい滝があり、浅い部分では子どもたちがボール投げをしていた。彼女は泳ぐのをあきらめて、パラソルの下に寝ころび、ティオ・ペペをペリエで割ったものを注文し、ジョン・ル・カレの新しい小説のつづきを読んだ。本を読むのに疲れると、帽子を顔にかぶせて少し眠った。うさぎの夢を見た。短い夢だ。金網がはられた小屋の中で一匹のうさぎが震えている。時刻は真夜中で、うさぎは何かがやってくるのを予感しているようだった。彼女ははじめのうちは外からそのうさぎを観察していたのだが、気がつくと彼女自身がうさぎになっていた。彼女はその何かの姿を、暗闇の中にほのかに認めることができた。目が覚めてからも、口の中にいやな後味が残っていた。

その男が神戸に住んでいることを彼女は知っていた。自宅の住所も電話番号も知っていた。彼女がその男の足どりを見失ったことは一度もなかった。地震のすぐあとでさつきは彼の自宅に電話をかけてみたが、もちろん電話は繋がらなかった。家がぺしゃんこにつぶれていればいいのにと彼女は思った。一家が一文無しで路頭にまよっていればいいのに。あなたが私の人生に対してしたことを思えば、私の生まれるはずだった子どもたちに対してしたことを思えば、それくらいの報いがあって当然ではないか。

ニミットがみつけてきたプールはホテルから車で三十分の距離にあった。ひとつ山を越えていくのだが、山頂の近くにはたくさん猿が住んでいる森があった。灰色の毛をした猿たちは道路沿いに並んで座り、走りすぎていく車を、運勢でも占うみたいな目つきでじっと眺めていた。

プールは謎めいた広い敷地の中にあった。まわりを高い塀で囲まれ、重々しい鉄の門扉があった。ニミットが運転席の窓ガラスを下げてあいさつをすると、門番が何も言わずに扉を開けた。砂利敷きのドライブウェイを進んでいくと、古い石造りの二階建ての建物があり、その建物の裏手に細長いかたちのプールがあった。いささかくたびれてはいるが、3レーン・長さ25メートルの正式なラッププールだ。まわりを芝生の庭と林に囲まれ、水は美しく、人の姿はなかった。プールサイドに古い木製のデッキチェアがいくつかならんでいる。あたりはしんと静まり返っていて、人の気配というものが感じられない。

「いかがですか?」とニミットが尋ねた。

「すばらしいわ」とさつきは言った。「ここはスポーツクラブか何かなの?」

「そのようなものです。でも事情がありまして、今のところ、ほとんど誰も使っていません。ですからお好きなだけ一人で泳いでください。話は全部ついています」

「ありがとう。あなたはとても有能なのね」

「おそれいります」とニミットは言って、無表情に一礼した。とても古風だ。

「あちらの小さなバンガローが更衣室になっておりまして、トイレットとシャワーがついています。自由に使って下さい。私は車の近くに待機しておりますので、何かありましたら声をおかけください」

さつきは若い頃から泳ぐことが好きで、暇があればジムのプールに通った。コーチについて正式なフォームを身につけた。泳いでいるあいだは、いろんないやな記憶を頭の外に追いやることができた。長く泳いでいると、自分が鳥になって空を飛んでいるような自由な気分になれた。適度な運動をつづけてきたおかげで、これまで病気をして寝込んだこともなければ、とくべつな体の不調を感じたこともなかった。余分な贅肉もつかなかった。もちろん若い頃とは違うから、肉がシャープにそげるというところまではいかない。とくに腰のあたりにはいやでもぽってりと肉がついてくる。しかしぜいたくは言えない。別に広告モデルになろうとしているわけではないのだ。実際の年齢より五歳以上は若く見えるはずだし、それで上出来ではないかと彼女は思った。

お昼になると、ニミットがアイスティーとサンドイッチを銀のトレイに載せてプールサイドまで運んできてくれた。小さな三角形にきれいにカットされた、野菜とチーズのサンドイッチだった。

「これはあなたが作ったの？」とさつきは驚いて尋ねた。

ニミットはそれを聞いてわずかに表情を崩した。「いいえ、ドクター、私は料理はいたしません。作ってもらったのです」

誰に、と訊こうとしてやめた。ラパポートが言っていたように、黙ってニミットにまかせておけば、ものごとはすべてうまく運ぶのだ。悪くないサンドイッチだった。食後は休憩をとり、持参したウォークマンでニミットから借りたベニー・グッドマン・セクステットのテープを聴き、本を読んだ。午後にまたしばらく泳ぎ、三時頃にホテルに戻った。

そっくり同じことが五日間繰り返された。彼女は心ゆくまで泳ぎ、野菜とチーズのサンドイッチを食べ、音楽を聴き、本を読んだ。プールのほかにはどこにも足を運ばなかった。さつきが求めているのは完璧な休息であり、何も考えないことだった。

そこで泳いでいるのはいつもさつきひとりだった。山あいにあるプールの水は、地下水を汲みあげて使っているのか、ひやりと冷たく、泳ぎはじめは息が止まりそうになったが、何度か往復しているうちに体が温まってほど良い温度になった。クロールで泳ぐのに疲れると、ゴーグルをはずして背泳をした。空には白い雲が浮かび、そこを鳥やとんぼが横切っていった。いつまでもこうしていられるといいのだけれど、とさつきは思った。


「あなたはどこで英語を学んだの？」、プールからの帰りの車中でさつきはニミットに尋ねてみた。

「私は三十三年のあいだバンコック市内で、ノルウェイ人宝石商の運転手を勤めておりまして、その方とはずっと英語で会話をしていました」

なるほど、とさつきは納得した。そう言われてみれば、ボルティモアの病院に勤務していた頃、同僚に一人デンマーク人の医師がいて、ちょうど同じような英語を話していた。文法が明確で、アクセントが希薄で、俗語が出てこない。わかりやすく、清潔で、いささか面白味に欠ける。しかしタイに来て、ノルウェイ仕込みの英語を聞かされるというのもどうも不思議なものだ。

「その方はジャズがお好きでして、車で移動されるときにはいつもカセットテープで聴いておられました。それで運転手の私も、自然にジャズに親しみを覚えるようになりました。三年前に亡くなられたとき、私はこの車を、カセットテープごと譲り受けたのです。今かけておりますのもそのテープのひとつです」

「ご主人が亡くなって、それからあなたは独立して、外国人のためのガイド兼運転手業を始めたということなのね」

「そのとおりです」とニミットは言った。「タイには少なからぬ数のガイド兼運転手がおりますが、自分でメルセデスを所有しているのは私くらいでしょう」

「あなたはきっとその人に信頼されていたのね」

ニミットは長いあいだ黙っていた。どう答えようかと迷っているみたいに見えた。それから口を開いた。「ドクター、私は独り者です。結婚したことは一度もありません。三十三年間、私はいわばその方の影のようになって日々を送ってきました。その方の行くあらゆる場所についていって、その方のするあらゆることのお手伝いをしました。まるでその方の一部のようになっておりました。そういう生活を続けていますと、自分が本心で何を求めているのか、それさえもだんだんわからなくなってくるものなのです」

ニミットはカーステレオの音量を少しだけ上げた。太い音色のテナーサックスがソロをとっていた。

「たとえばこの音楽にしてもそうです。『いいかニミット。この音楽をよく聴きなさい。コールマン・ホーキンズのアドリブ・ラインをひとつひとつ注意深くたどるんだよ。彼がそのラインをつかって我々に何を語ろうとしているか、じっと耳を澄ませなさい。そこで語られているのは、胸の中からなんとか抜け出そうとしている自由な魂についての物語なんだ。そのような魂は私の中にもあるし、お前の中にもある。ほら、その響きが聴き取れるだろう。熱い吐息や、心のふるえが』とその方はおっしゃいました。私はその音楽を何度も繰り返して聴き、じっと耳を澄ませ、魂の響きを聴き取りました。しかしそれが本当に私が自分の耳で聴き取ったものなのかどうか、定かにはわかりません。一人の人間と長く一緒にいて、その言葉に従っていると、ある意味では一心同体のようになってしまうのです。私の申し上げていることはおわかりになりますか？」

「たぶん」とさつきは言った。

ニミットのしゃべり方を聞いているうちにふと、彼と主人はホモ・セクシュアルの関係にあったのかもしれないとさつきは思った。もちろん直感的な推測に過ぎない。根拠はない。しかしそのように仮定すると、彼の言わんとすることが理解できるような気がした。

「しかし私は何ひとつ後悔してはいません。もし人生がもう一度私の手に与えられたなら、私はもう一度同じことを繰り返すでしょう。まったく同じことを。あなたはいかがですか、ドクター？」

「わからないわ、ニミット」とさつきは言った。「見当もつかない」

ニミットはそれ以上何も言わなかった。彼らは灰色の猿のいる山を越えて、ホテルに戻った。

明日にはもう日本に戻るという最後の日、プールの帰りにニミットはさつきを近隣の村に連れていった。

「ドクター、ひとつお願いがあります」とニミットはバックミラーの中の彼女に向かって言った。「個人的なお願いです」

「どんなことかしら？」とさつきは言った。

「一時間ばかり私に時間をいただけますか？　あなたをご案内したいところがひとつあるのです」

かまわないとさつきは言った。それがどんな場所かも尋ねなかった。彼女はしばらく前から何ごともニミットにまかせようと決心していたのだ。

その女は村のいちばんはずれにある小さな家に住んでいた。貧しい村であり、貧しい家だった。斜面に重なり合うように連なるせせこましい水田、痩せた汚い家畜。道路は水たまりだらけで、牛の糞のにおいがいたるところに漂っていた。性器をむき出しにした牡犬があたりをうろつき、50ｃｃのバイクがけたたましい音を立てて、泥を両脇にはねとばしていった。裸に近いかっこうの子どもたちが道ばたに並んで立って、ニミットと彼女が通り過ぎるのをじっと見ていた。こんなみすぼらしい村が、あの高級リゾート・ホテルのすぐ近くにあったのだとさつきはあらためて驚いた。

年老いた女だった。もう八十に近いかもしれない。皮膚は荒れた革のように黒ずみ、深いしわが渓谷となって全身に及んでいた。腰が曲がり、サイズのあわないだらんとした花柄のワンピースを着ている。ニミットは彼女を見ると、手を合わせてあいさつをした。女も同じように手を合わせた。

さつきと老女がテーブルをはさんで向かい合って座り、横にニミットが座った。ニミットと老女がまずひとしきり何かを語り合った。年齢に比べるとずいぶん張りのある声だった。歯もしっかりと残っているらしい。それから老女はまっすぐ前を向き、さつきの目を見た。鋭い目だった。まばたきひとつしない。彼女に見られていると、狭い部屋に入れられて逃げ場を奪われてしまった小動物のような、落ちつかない気持ちになった。気がつくと彼女は身体中に汗をかいていた。顔が火照り、息づかいが荒くなった。バッグから錠剤を出して飲みたかった。しかし水がない。ミネラル・ウォーターは車の中に置いてきていた。

「両手をテーブルの上に載せてください」とニミットが言った。さつきは言われた通りにした。老女は手を伸ばして、さつきの右手をとった。小さいが力のある手だった。およそ十分間(あるいはそれは二、三分のことだったかもしれない)、老女は何も言わず、さつきの手を握り、目を見据えていた。さつきは力無く老女の目を見返し、ときどき左手のハンカチで額の汗を拭いた。老女はやがて大きく息をつき、さつきの手を放した。それからニミットに向かって、ひとしきりタイ語で何かを語った。ニミットがそれを英語に翻訳した。

「あなたの身体の中には石が入っていると彼女は言っています。白くて堅い石です。

大きさは子どもの握りこぶしくらい。それがどこから来たのか、彼女にはわかりません」

「石？」とさつきは言った。

「石には字が書いてあるのですが、日本語なので、彼女には読むことができません。黒い墨で小さく何かの字が書いてあります。それは古いものなので、あなたはきっと長年にわたってそれを抱えて生きてきたのでしょう。あなたはその石をどこかに捨てなくてはなりません。そうしないと死んで焼かれたあとにも、石だけが残ります」

老女は今度はさつきに向かって、ゆっくりとしたタイ語で長く語った。声の響きから、それが重要な内容の話であることがわかった。ニミットがまた英語に翻訳した。

「あなたは近いうちに、大きな蛇の出てくる夢を見るでしょう。壁の穴からそろそろと蛇が出てくる夢です。うろこだらけの緑色の蛇です。その蛇が一メートルほど姿を見せたら、首のところをつかみなさい。つかんだまま放してはいけません。蛇は一見して恐ろしそうですが、害を及ぼす蛇ではありません。だから恐がってはいけません。両手でしっかりとつかみなさい。それをあなたの命だと思って、全力でつかみなさい。あなたの目が覚めるまでつかんでいるのです。その蛇があなたの石をのみこんでくれます。わかりましたね」

「ねえ、それはいったい……」

「わかったと言ってください」とニミットが真剣な声で言った。

「わかったわ」とさつきは言った。

老女は静かにうなずいた。そしてまたさつきに向かって何かを言った。

「そのひとは死んでいません」とニミットは通訳した。「傷ひとつ負っていません。それはあなたの望んだことではなかったかもしれませんが、あなたにとってはまことに幸運なことでした。自分の幸運に感謝なさい」

老女はまたニミットに短く何かを言った。

「終わりました」とニミットは言った。「ホテルに戻りましょう」


「あれは占いのようなものなのかしら？」、車の中でさつきはニミットに尋ねた。

「占いではありません、ドクター。あなたが人々の身体を治療なさるように、彼女は人々の心を治療します。おもに夢を予言します」

「だとしたら謝礼を置いてくるべきだったのね。突然のことで驚いてしまって、そのことをすっかり忘れてしまった」

ニミットはステアリングを正確に切り増ししながら、山道の鋭いカーブを曲がった。

「私が払っておきました。お気になさるほどの額ではありません。ドクターへの私からの、個人的な好意のしるしだと思って下さい」

「あなたは案内した人をみんなあそこに連れていくの?」

「いいえ、ドクター、連れていったのはあなただけです」

「それはどうして?」

「あなたは美しい方です、ドクター。聡明で、お強い。でもいつも心をひきずっておられるように見える。これからあなたはゆるやかに死に向かう準備をなさらなくてはなりません。これから先、生きることだけに多くの力を割いてしまうと、うまく死ぬることができなくなります。少しずつシフトを変えていかなくてはなりません。生きることと死ぬこととは、ある意味では等価なのです、ドクター」

「ねえ、ニミット」、さつきはサングラスをはずし、助手席の背もたれから身を乗り出すようにして言った。

「何でしょう、ドクター?」

「あなたにはうまく死ぬ準備ができているの?」

「私はもう半分死んでいます、ドクター」、ニミットは当たり前のことのように言った。


その夜、広い清潔なベッドの中でさつきは泣いた。彼女は自分がゆるやかに死に向かっていることを認識した。身体の中に白い堅い石が入っていることを認識した。うろこだらけの緑色の蛇が暗闇のどこかに潜んでいることを認識した。生まれなかった子どものことを思った。彼女はその子どもを抹殺し、底のない井戸に投げ込んだのだ。そして彼女は一人の男を三十年間にわたって憎み続けた。男が苦悶にもだえて死ぬことを求めた。そのためには心の底では地震さえをも望んだ。ある意味では、あの地震を引き起こしたのは私だったのだ。あの男が私の心を石に変え、私の身体を石に変えたのだ。遠くの山の中では灰色の猿たちが無言のうちに彼女を見つめていた。生きることと死ぬこととは、ある意味では等価なのです、ドクター。


空港のカウンターで荷物をチェックインしたあと、さつきは封筒にいれた百ドル札をニミットに渡した。「いろいろとありがとう。あなたのおかげで楽しい休暇を送ることができた。これは私からの個人的なプレゼントよ」と彼女は言った。

「お心遣いを感謝いたします、ドクター」と言ってニミットはそれを受け取った。

「ねえ、ニミット。あなたと二人で、どこかでコーヒーでも飲める時間はあるかしら？」

「喜んでご一緒します」

二人はコーヒーショップに入ってコーヒーを飲んだ。さつきはブラックで飲み、ニミットはクリームをたっぷりと入れて飲んだ。さつきはカップをソーサーの上で長いあいだくるくるとまわしていた。

「実を言うと私には、これまで誰にも打ち明けられなかった秘密があるの」とさつきはニミットに向かって切り出した。「ずっとそれを口に出すことができなかった。私は一人でそれを抱えて生きてきた。でも今日、あなたにそれを聴いてもらいたいの。たぶんもうあなたに会うことはないだろうから。私の父があっというまに死んでしまったあとで、母は私にはひとことの相談もなく……」

ニミットは両方の手のひらをさつきに向けた。そして強く首を振った。「ドクター、お願いです。私にはそれ以上何も言ってはいけません。あの女が申し上げたように、夢をお待ちなさい。あなたのお気持ちはわかりますが、いったん言葉にしてしまうと、それは嘘になります」

さつきは言葉を飲み込み、黙って目を閉じた。大きく息を吸い込み、吐き出した。

「夢を待つのです、ドクター」とニミットは言い聞かせるように優しく言った。「今は我慢することが必要です。言葉をお捨てなさい。言葉は石になります」

彼は手を伸ばしてさつきの手を静かにとった。不思議なほどつるりとした、若々しい感触の手だった。まるで上等の手袋に包まれて護られつづけてきたような。さつきは目を開けて彼の顔を見た。ニミットは手を放し、テーブルの上で指を組んだ。

「私のノルウェイ人の主人はラップランドの出身でした」とニミットは言った。「ご存じでしょうが、ラップランドはノルウェイでももっとも北端にある地方です。北極に近く、トナカイがたくさんいます。夏には夜がなく、冬には昼間がありません。彼はたぶんその寒さに辟易してタイにやってきたのでしょう。なにしろ正反対といってもいいような場所ですからね。彼はタイを愛し、この国に骨を埋めようと決心していました。しかし死ぬるその日まで、自分が生まれたラップランドの故郷の町を懐かしがっていました。私によくその小さな町の話をしてくれました。それにもかかわらず三十三年のあいだ、彼は一度としてノルウェイには戻りませんでした。きっとそこには何かとくべつな事情があったのでしょう。彼もまた身体に石を入れた人でした」

ニミットはコーヒーカップを手にとってひとくち飲み、それから音を立てないように注意深くソーサーの上に戻した。

「彼は私に一度、北極熊の話をしてくれました。北極熊がどれくらい孤独な生き物であるかという話です。彼らは年に一度だけ交尾をします。年に一度だけです。夫婦というような関係は、彼らの世界には存在しません。凍てついた大地の上で一匹の牡の北極熊と一匹の牝の北極熊とが偶発的に出会い、そこで交尾がおこなわれます。それほど長い交尾ではありません。行為が終了すると、牡は何かを恐れるみたいにさっと牝の身体から飛び退き、交尾の現場から走って逃げます。文字どおり一目散に、後ろも振り返らずに逃げ去ります。そしてあとの一年間を深い孤独のうちに生きるのです。

相互コミュニケーションというようなものはいっさい存在しません。心のふれあいもありません。それが北極熊の話です。いずれにせよ、少なくともそれが、私の主人が私に語ってくれたことです」

「なんだか不思議な話ね」とさつきは言った。

「たしかに。不思議な話です」とニミットは生まじめな顔で言った。「そのとき私は主人に尋ねました。じゃあ北極熊はいったい何のために生きているのですか、と。すると主人は我が意を得たような微笑を顔に浮かべ、私に尋ねかえしました。『なあニミット、それでは私たちはいったい何のために生きているんだい？』と」

　飛行機が離陸してシートベルト着用のサインが消えた。私はこうしてまた日本に戻ろうとしている、とさつきは思った。彼女はこれから先のことを考えようとして、やめた。言葉は石になる、とニミットは言った。彼女は座席に深くもたれ込み、両目を閉じた。そしてプールで背泳をしている時に見上げた空の色を思い出した。エロール・ガーナーが演奏する『四月の思い出』のメロディーを思い出した。眠ろうと彼女は思う。とにかくただ眠ろう。そして夢がやってくるのを待つのだ。

かえるくん、東京を救う

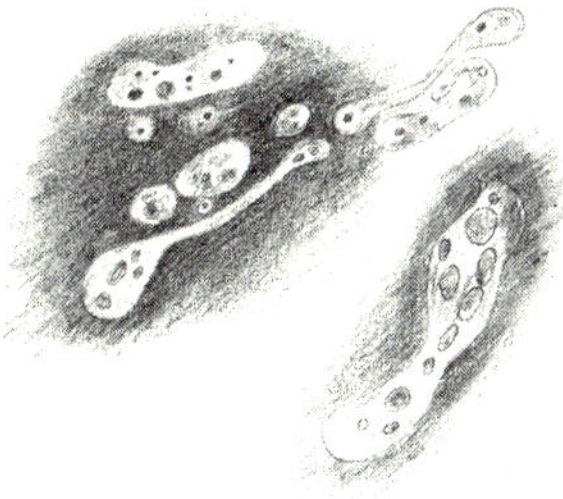

片桐がアパートの部屋に戻ると、巨大な蛙が待っていた。二本の後ろ脚で立ちあがった背丈は2メートル以上ある。体格もいい。身長1メートル60センチしかないやせっぽちの片桐は、その堂々とした外観に圧倒されてしまった。

「ぼくのことはかえるくんと呼んで下さい」と蛙はよく通る声で言った。

片桐は言葉を失って、ぽかんと口を開けたまま玄関口に突っ立っていた。

「そんなに驚かないでください。べつに危害をくわえたりはしません。中に入ってドアを閉めて下さい」とかえるくんは言った。

片桐は右手に仕事の鞄を提げ、左手に野菜と鮭の缶詰の入ったスーパーの紙袋を抱えたまま、一歩も動けなかった。

「さあ、片桐さん。早くドアを閉めて、靴を脱いで」

片桐は名前を呼ばれてようやく我に返った。言われたとおりドアを閉め、紙袋を床に置き、鞄を脇に抱えたまま靴を脱いだ。そしてかえるくんに導かれるままに台所のテーブルの椅子に座った。

「ねえ片桐さん」とかえるくんは言った。「お留守中に勝手に上がり込んでしまって、申し訳ありません。さぞや驚かれたことでしょうね。でもこうするよりほかにしかたなかったんです。いかがです、お茶でも飲みませんか？　そろそろおかえりだと思って、お湯をわかしておきました」

片桐はまだ鞄をじっと脇に握りしめていた。これは何かのいたずらなのだろうか？　誰かが着ぐるみの中に入って私をからかっているのだろうか？　でも鼻歌を歌いながら急須に湯を注いでいるかえるくんの身体つきや動作は、どう見ても本物の蛙だった。かえるくんは湯飲みをひとつ片桐の前に置き、ひとつを自分の前に置いた。

「少しは落ちつかれましたか？」とかえるくんはお茶をすすりながら言った。

片桐はまだ言葉を失ったままだった。

「本来ならばアポイントメントをとってから来るべきところです」とかえるくんは言った。「それはよくわかっているんです、片桐さん。家に帰ったら、とつぜん大きな蛙が待っていたりしたら、誰だって驚きます。しかしとても大事な急ぎの用件があったのです。失礼の段はお許し下さい」

「用件？」、やっと片桐は言葉らしきものを口にすることができた。

「そうです、片桐さん。いくらなんでも、用件もなしに他人の家に勝手に上がり込んだりはしませんよ。ぼくはそんな礼儀知らずではありません」

「私の仕事に関係した用件ですか？」

「答えはイエスであり、ノーです」とかえるくんは首を傾げて言った。「ノーであり、イエスです」

ここはひとつ落ちつかなくては、と片桐は思った。「煙草を吸ってもかまいませんか？」

「もちろんもちろん」とかえるくんはにこやかに言った。「あなたのおうちじゃありませんか。ぼくにいちいち断ることなんかありません。煙草だってお酒だって、ご自由にやってください。ぼく自身は煙草を吸いませんが、他人の家で嫌煙権を主張するような無法なことはしません」

片桐はコートのポケットから煙草を取り出し、マッチをすった。煙草に火をつけるときに、手が震えていることに気づいた。かえるくんは向かいの席から、その一連の動作を興味深げに見守っていた。

「ひょっとして、あなたはどこかのクミの関係者じゃありませんよね？」と片桐は思い切って尋ねてみた。

「はははははは」とかえるくんは笑った。大きな明るい笑い声だった。そして水掻きのある手でぴしゃっと膝をたたいた。「片桐さんもなかなかユーモアのセンスがありますよね。だってそうでしょう。この世の中、いくら人材不足だとはいえ、どこの暴力団が蛙なんかを雇いますか？　そんなことしたら世間のいい物笑いじゃありませんか」

「もしあなたが返済金の交渉に来られたのなら、それは無駄ですよ」と片桐はきっぱりと言った。「私個人には一切の決定権はないんです。私は上の決定に従って、命令を受けて行動しているだけです。どのようなかたちにせよ、あなたのお役にたてることはありません」

「ねえ片桐さん」とかえるくんは言って指を一本空中に立てた。「ぼくはそんなちゃちな用事でここに来たわけではありません。あなたが東京安全信用金庫新宿支店融資管理課の係長補佐をやっておられることは承知しています。しかしこれは借金の返済とは関係のない話です。ぼくがここにやってきたのは、東京を壊滅から救うためです」

片桐はあたりを見回した。どっきりカメラとかそういう種類の大がかりな悪い冗談にひっかけられているのかもしれない。しかしカメラはどこにもなかった。小さなアパートの部屋だ。誰かが身を隠すような場所もない。

「ここにはぼくらの他には誰もいませんよ、片桐さん。たぶんあなたはぼくのことを頭のいかれた蛙だとお思いのことでしょう。あるいは白日夢でも見ているのではないかと。しかしぼくは狂ってはいませんし、これは白日夢ではありません。ぎりぎりに真剣な話なんです」

「ねえ、かえるさん」と片桐は言った。

「かえるくん」とかえるくんはまた指を一本立てて訂正した。

「ねえ、かえるくん」と片桐は言い直した。「あなたを信用していないわけではありません。ただ私にはまだよく事態がつかめていないんです。今ここで何が起こっているのか、理解できていないんです。それで、少し質問していいですか？」

「もちろんもちろん」とかえるくんは言った。「理解しあうのはとても大事なことです。理解とは誤解の総体に過ぎないと言う人もいますし、ぼくもそれはそれで大変面白い見解だと思うのですが、残念ながら今のところぼくらには愉快な回り道をしているような時間の余裕はありません。最短距離で相互理解に達することができれば、それがいちばんです。ですから、いくらでも質問してください」

「あなたは本物の蛙ですよね？」

「もちろんごらんのとおり本物の蛙です。暗喩とか引用とか脱構築とかサンプリングとか、そういうややこしいものではありません。実物の蛙です。ちょっと鳴いてみましょうか」

かえるくんは天井を向いて、喉を大きく動かした。**げええこ、うぐっく、げえええええええこおお、うぐっく。**巨大な声だった。壁にかかっている額がびりびりと震えて傾くほどだった。

「わかりました」と片桐はあわてて言った。壁の薄い安アパートなのだ。「けっこうです。あなたはたしかに本物の蛙だ」

「あるいはぼくは総体としての蛙なのだと言うこともできます。しかしたとえそうだとしても、ぼくが蛙であるという事実に変わりはありません。ぼくのことを蛙じゃないというものがいたら、そいつは汚いうそつきです。断固粉砕してやります」

片桐はうなずいた。そして気持ちを落ちつかせるために、湯飲みを手にとって茶をひとくち飲んだ。「東京が壊滅するのを防ぎたいとおっしゃいましたね？」

「申し上げました」

「それはいったいどんな種類の壊滅なのですか？」

「地震です」とかえるくんは重々しい声で言った。

片桐は口を開けてかえるくんを見ていた。かえるくんもしばらく何も言わずに片桐の顔を見ていた。ふたりは互いを見つめあっていた。それからかえるくんが口を開いた。

「とてもとても大きな地震です。地震は2月18日の朝の8時半頃に東京を襲うことになっています。つまり3日後ですね。それは先月の神戸の大地震よりも更に大きなものになるでしょう。その地震による死者はおおよそ15万人と想定されます。多くはラッシュアワー時の交通機関の脱線転覆衝突事故によるものです。高速道路の崩壊、地下鉄の崩落、高架電車の転落、タンクローリーの爆発。ビルが瓦礫の山になり、人々を押しつぶします。いたるところに火の手があがります。道路機能は壊滅状態になり、救急車も消防車も無用の長物と化します。人々はただ空しく死んでいくだけです。死者15万人ですよ。まさに地獄です。都市という集約的状況がどれほど脆い存在であるか、人々はあらためて認識することでしょう」、かえるくんはそう言って軽く首を振った。「震源地は新宿区役所のすぐ近く、いわゆる直下型の地震ですね」

「新宿区役所の近く？」

「正確に申し上げますと、東京安全信用金庫新宿支店の真下ということになります」

　重い沈黙が続いた。

「それで、つまり」と片桐は言った。「あなたがその地震を阻止しようと？」

「そういうことです」とかえるくんはうなずいて言った。「そのとおりです。ぼくが片桐さんと一緒に東京安全信用金庫新宿支店の地下に降りて、そこでみみずくんを相手に闘うのです」

　片桐は信用金庫融資管理課の職員として、これまで様々な修羅場をくぐり抜けてきた。大学を出て東京安全信用金庫に就職し、それ以来16年間ずっと融資管理課の業務についてきた。要するに返済金の取りたて係だ。決して人気のある部署ではない。誰もが貸付の仕事をしたがる。とくにバブル時代はそうだった。金がだぶついている時代だったから、担保になりそうな土地や証券があれば、融資担当者はほとんど言われたままいくらでも金を貸した。それが業績になった。しかし貸金が焦げ付くこともあり、そんな場合に処理に出向くのが片桐たちの仕事だった。とくにバブルがはじけてからは、仕事は急激に増えていった。まず株価が下がり、それから土地の値段が下がった。そうなると担保が本来の意味をなさなくなる。「少しでもいいから現金をもぎとってこい」というのが上からの至上命令だった。

新宿歌舞伎町は暴力の迷宮のような場所だ。昔からのやくざもいるし、韓国系の組織暴力団もからんでいる。中国人のマフィアもいる。銃と麻薬があふれている。多額の金が表面に出ることなく、闇から闇に流れる。人が煙のように消えてしまうことも珍しくない。片桐も返済の督促に行って、何度かやくざにまわりを囲まれ、殺してやると脅されたことがある。しかしとくに怖いとは思わなかった。信用金庫の外回りを殺して、それが何の役に立つというのだ？　刺すなら刺せばいい。撃つなら撃てばいい。彼にはうまい具合に妻も子どももいないし、両親はすでに死んでしまった。弟と妹は自分が面倒をみて大学を出して、結婚もさせた。今ここで殺されたところで、誰も困らない。というか、片桐自身、とくに困りもしない。

でも片桐がそんな風に汗ひとつかかず平然としていると、取り囲んだやくざたちの方がむしろ居心地悪くなるようだった。おかげで片桐はその世界では、肝の据わった男としていささか名前を知られるようになった。しかし今、片桐は途方に暮れていた。どうすればいいのか、見当がつかなかった。いったいこれは何の話なんだ？　みみずくん？

「みみずくんとはいったい誰のことですか？」と片桐はおずおずと尋ねた。

「みみずくんは地底に住んでいます。巨大なみみずです。腹を立てると地震を起こします」とかえるくんは言った。「そして今みみずくんはひどく腹を立てています」

「みみずくんは何に対して腹を立てているんですか？」

「わかりません」とかえるくんは言った。「みみずくんがその暗い頭の中で何を考えているのか、それは誰にもわからないのです。みみずくんの姿を見たものさえ、ほとんどいません。彼は普段はいつも長い眠りを貪っています。地底の闇と温もりの中で、何年も何十年もぶっつづけで眠りこけています。当然のことながら目は退化しています。脳味噌は眠りの中でねとねとに溶けて、なにかべつのものになってしまっています。実際の話、彼はなにも考えていないのだと僕は推測します。彼はただ、遠くからやってくる響きやふるえを身体に感じとり、ひとつひとつ吸収し、蓄積しているだけなのだと思います。そしてそれらの多くは何かしらの化学作用によって、憎しみというかたちに置き換えられます。どうしてそうなるのかはわかりません。ぼくには説明のつけられないことです」

かえるくんはしばらく片桐の顔を見て、黙っていた。言ったことが片桐の頭にしみこんで収まるのを待った。それからまた話を続けた。

「誤解されると困るのですが、ぼくはみみずくんに対して個人的な反感や敵対心を持っているわけではありません。また彼のことを悪の権化だとみなしているわけでもありません。友だちになろうとか、そういうことまでは思いませんが、みみずくんのような存在も、ある意味では、世界にとってあってかまわないものなのだろうと考えています。世界とは大きな外套のようなものであり、そこには様々なかたちのポケットが必要とされているからです。しかし今の彼は、このまま放置できないくらい危険な存在になっています。みみずくんの心と身体は、長いあいだに吸引蓄積された様々な憎しみで、これまでにないほど大きく膨れ上がっています。おまけに彼は先月の神戸の地震によって、心地の良い深い眠りを唐突に破られたのです。そのことで彼は深い怒りに示唆されたひとつの啓示を得ました。そして、よし、それなら自分もこの東京の街で大きな地震をひき起こしてやろうと決心したのです。ぼくはその日時や規模について、仲の良い何匹かの虫たちから確実な情報を得ました。間違いありません」

かえるくんは口をつぐみ、話し疲れたように軽く目を閉じた。

「それで」と片桐は言った。「あなたと私と二人で地下に潜り、みみずくんと闘って、地震を阻止する」

「そのとおりです」

片桐は湯飲みを手に取り、それをまたテーブルの上に戻した。「まだよく呑み込めないのですが、どうしてこの私があなたのパートナーとして選ばれたのでしょう？」

「片桐さん」とかえるくんはじっと片桐の目をのぞきこんで言った。「ぼくはつねづねあなたという人間に敬服してきました。この16年のあいだあなたは人がやりたがらない地味で危険な仕事を引き受け、黙々とこなしてきました。それがどれくらい大変なことだったか、ぼくはよく知っています。残念ながら上司や同僚が、あなたのそんな仕事ぶりを正当に評価してきたとは思えません。連中にはきっと目がついていないのでしょう。しかし認められなくても、出世しなくても、あなたは愚痴ひとつ言うでもない。

仕事のことだけではありません。ご両親が亡くなったあと、あなたはまだ十代だった弟と妹を男手ひとつで育てあげ、大学を出し、結婚の世話までしました。そのために自分の時間と収入を大幅に犠牲にしなくてはならなかったし、あなた自身は結婚することもできなかった。なのに弟と妹は、あなたの世話になったことなんてちっとも感謝していません。ひとっきれも感謝していません。というか逆に、あなたを軽んじて、恩知らずなことばかりしています。ぼくに言わせればとんでもないことです。あなたのかわりにぶん殴ってやりたいくらいです。でもあなたはべつに腹を立てるでもない。

　正直に申し上げまして、あなたはあまり風采があがりません。弁も立たない。だからまわりから軽く見られてしまうところもあります。でもぼくにはよくわかります。あなたは筋道のとおった、勇気のある方です。東京広しといえども、ともに闘う相手として、あなたくらい信用できる人はいません」

「かえるさん」と片桐は言った。

「かえるくん」とかえるくんはまた指を立てて訂正した。

「かえるくん。どうして私のことをそんなに詳しく知っているのですか？」

「ぼくはだてに長く蛙をやっているわけではありません。世の中の見るべきことはちゃんと見ているのです」

「しかしね、かえるくん」と片桐は言った。「私は腕っぷしが強いわけでもないし、地底のことも何も知りません。真っ暗な中でみみずくんを相手に闘うには、やはり力不足だと思うんです。私よりもっと強い人はほかにいるでしょう。空手をやっている人とか、自衛隊のレンジャー部隊とか」

　かえるくんはくるりと大きな目をまわした。「片桐さん、実際に闘う役はぼくが引き受けます。でもぼく一人では闘えません。ここが肝心なところです。ぼくにはあなたの勇気と正義が必要なんです。あなたがぼくのうしろにいて、『かえるくん、がんばれ。大丈夫だ。君は勝てる。君は正しい』と声をかけてくれることが必要なのです」

かえるくんは両腕を大きく広げ、それをまた両膝の上にぴしゃっと置いた。

「正直に申し上げますが、ぼくだって暗闇の中でみみずくんと闘うのは怖いのです。長いあいだぼくは芸術を愛し、自然とともに生きる平和主義者として生きてきました。闘うのはぜんぜん好きじゃありません。でもやらなくてはならないことだからやるんです。きっとすさまじい闘いになるでしょう。生きては帰れないかもしれません。身体の一部を失ってしまうかもしれません。しかしぼくは逃げません。ニーチェが言っているように、最高の善なる悟性とは、恐怖を持たぬことです。片桐さんにやってほしいのは、まっすぐな勇気を分け与えてくれることです。友だちとして、ぼくを心から支えようとしてくれることです。わかっていただけますか？」

そう言われても、片桐にはわからないことだらけだった。しかし彼はなぜか、かえるくんの言うことを——その内容がどれほど非現実的に響いたとしても——信用してもいいような気がした。かえるくんの顔つきやしゃべり方には、人の心に率直に届く正直なものがあった。信用金庫のいちばんタフな部署で働いてきた片桐には、そういうものを感じとる能力が、いわば第二の天性として備わっていた。

「片桐さん、とつぜんぼくのような大きな蛙がのこのこ出てきて、こんなことを持ち出して、そのまま信じてくれと言っても、あなただってきっと困ってしまいますよね。それが当たり前の反応だとぼくも思います。ですからあなたにぼくが実在するという証拠をひとつお見せすることにします。片桐さんはここのところ、東大熊商事への融資の焦げ付きのことで苦労しておられますよね？」

「たしかに」と片桐は認めた。

「バックに暴力団がらみの総会屋がついていて、会社を計画倒産させて、借入金をちゃらにしようとしています。いわゆる借り抜けです。融資担当者がろくに調査もしないでほいほいとお金を貸してしまった。例によってそのしりぬぐいをするのは片桐さんだ。ところが今回の相手は手強くてなかなか歯が立たない。背後には有力政治家の存在も見えかくれしている。貸付金の総額は約7億円。そのように理解してよろしいですね」

「そのとおりです」

かえるくんは空中に両手を大きくのばした。大きな緑色の水掻きが、淡い翼のようにさっと広がった。「片桐さん、案ずることはありません。このかえるくんにまかせて下さい。明日の朝には問題はすべて解決しています。安心してお休みなさい」

かえるくんは立ち上がり、にっこりと微笑み、するめみたいに平べったくなって、閉じたドアの隙間からするすると出ていった。片桐はひとりで部屋の中に取り残された。テーブルの上に湯飲みが二つ残っていたが、それ以外にかえるくんが部屋に存在したことを示すものはなかった。

翌朝九時に出社すると、すぐに彼の机の上の電話が鳴った。

「片桐さん」と男が言った。事務的で冷ややかな声だった。「私は東大熊商事の件を担当している弁護士の白岡です。今朝ほど依頼人から連絡がありまして、今回懸案になっております借入金の件につきましては、そちらの要求通りの金額を、責任を持って期日内に返済するということでした。それについては念書も入れます。だからもうかえるくんをうちによこさないでほしいということでした。繰り返しますが、もううちに来ないようにかえるくんに頼んでほしい、ということでした。私にはそのあたりの細かい事情がもうひとつよく理解できないのですが、それで片桐さんはおわかりになりましたでしょうか？」

「よくわかりました」と片桐は言った。

「私の申し上げましたことを、かえるくんにちゃんと伝えていただけますね」

「間違いなくかえるくんに伝えておきます。かえるくんはもうそちらには現れません」

「けっこうです。それでは念書は明日までに御用意いたします」

「よろしく」と片桐は言った。

電話が切れた。

その日の昼休みにかえるくんが信用金庫の片桐の部屋にやってきた。「どうですか。東大熊商事のことはうまくいったでしょう」

片桐はあわててまわりを見回した。

「大丈夫。ぼくの姿は片桐さんにしか見えません」とかえるくんは言った。「でもこれでぼくが実在していることは理解していただけましたね。ぼくはあなたの幻想の産物ではありません。現実に行動し、その効果をつくり出します。生きた実在です」

「かえるさん」と片桐は言った。

「かえるくん」とかえるくんは指を一本立てて訂正した。

「かえるくん」と片桐は言い直した。「あなたは彼らに何をしたんですか？」

「たいしたことは何もしちゃいません。ぼくがやったのは、芽キャベツを茹でるよりはいくぶん手間がかかるかな、という程度のことです。ちょっと脅したんです。ぼくが彼らに与えたのは精神的な恐怖です。ジョセフ・コンラッドが書いているように、真の恐怖とは人間が自らの想像力に対して抱く恐怖のことです。でもどうですか、片桐さん、ことはうまく運んだでしょう」

片桐はうなずいて煙草に火をつけた。「そのようですね」

「それでは昨夜ぼくが言ったことを信じていただけますか？　ぼくと一緒にみみずくんと闘ってくれますか？」

片桐は溜息をついた。そして眼鏡をはずして拭いた。「正直なところあまり気は進まないけれど、だからといってそれを避けることはできないのでしょうね」

かえるくんはうなずいた。「これは責任と名誉の問題です。どんなに気が進まなくても、ぼくと片桐さんは地下に潜って、みみずくんに立ち向かうしかないのです。もし万が一闘いに負けて命を落としても、誰も同情してはくれません。もし首尾良くみみずくんを退治できたとしても、誰もほめてはくれません。足もとのずっと下の方でそんな闘いがあったということすら、人は知らないからです。それを知るのは、ぼくと片桐さんだけです。どう転んでも孤独な闘いです」

片桐は自分の手をしばらく眺め、煙草からたち上る煙を眺めていた。それから言った。「ねえ、かえるさん。私は平凡な人間です」

「かえるくん」とかえるくんは訂正した。でも片桐はそれを無視した。

「私はとても平凡な人間です。いや、平凡以下です。頭もはげかけているし、おなかも出ているし、先月40歳になりました。扁平足で、健康診断では糖尿病の傾向もあると言われました。この前女と寝たのは三カ月も前です。それもプロが相手です。借金の取り立てに関しては部内で少しは認められていますが、だからといって誰にも尊敬はされない。職場でも私生活でも、私のことを好いてくれている人間は一人もいません。口べただし、人見知りするので、友だちを作ることもできません。運動神経はゼロで、音痴で、ちびで、包茎で、近眼です。乱視だって入ってます。ひどい人生です。ただ寝て起きて飯を食って糞をしているだけです。何のために生きているのか、その理由もよくわからない。そんな人間がどうして東京を救わなくてはならないのでしょう？」

「片桐さん」とかえるくんは神妙な声で言った。「あなたのような人にしか東京は救えないのです。そしてあなたのような人のためにぼくは東京を救おうとしているのです」

片桐はもう一度深いため息をついた。「それで、いったい私は何をすればいいのですか？」

かえるくんは計画を教えてくれた。2月17日（つまり地震が予定されている一日前）の真夜中に、地下に降りる。入り口は東京安全信用金庫新宿支店の地下ボイラー室にある。壁の一部をはがすと竪穴があり、縄梯子をつかってその穴を50メートルばかり降りると、みみずくんがいる場所にたどり着ける。二人は真夜中にボイラー室で待ち合わせる（片桐は残業をするという名目で建物の中に残っている）。

「闘うための作戦のようなものがあるのですか？」と片桐は尋ねた。

「作戦はあります。作戦なしに勝てる相手ではありません。なにしろ口と肛門の区別もつかないようなぬるぬるした奴だし、大きさは山の手線の車両くらいあります」

「どんな作戦ですか？」

かえるくんはしばらく考え込んでいた。「それは言わぬが華でしょう」

「あえて聞かない方がいいということですか？」

「そう言ってもいいかもしれません」

「もし私が最後の瞬間になって、怖じ気付いてその場から逃げだしたら、かえるさんはどうするのですか？」

「かえるくん」とかえるくんは訂正した。

「かえるくんはどうするんですか？　もしそうなったら」

「ひとりで闘います」とかえるくんはしばし考えてから言った。「ぼくが一人であいつに勝てる確率は、アンナ・カレーニナが驀進《ばくしん》してくる機関車に勝てる確率より、少しましな程度でしょう。片桐さんは『アンナ・カレーニナ』はお読みになりましたか？」

読んでいないと片桐が言うと、かえるくんはちょっと残念そうな顔をした。きっと

『アンナ・カレーニナ』が好きなのだろう。

「でも片桐さんはぼくをひとりにして逃げたりしないと思います。ぼくにはそれがわかるんです。なんと言えばいいのかな、それはきんたまの問題です。ぼくには残念ながらきんたまはついていませんが。ははははは」、かえるくんは大きく口をあけて笑った。かえるくんにはきんたまだけではなく、歯もなかった。

予期せぬ出来事が起こる。

2月17日の夕方に片桐は狙撃された。外回りの仕事を終えて、信用金庫に戻ろうと新宿の路上を歩いているとき、革ジャンパーを着た若い男が彼の前に飛び出してきた。表情の乏しい、いかにも薄っぺらな顔をした男だった。彼の手に黒い小さな拳銃が握られているのが見えた。拳銃はあまりにも黒く、あまりにも小さかったので、本物の拳銃には見えなかった。片桐はぼんやりとその手の中にある黒いものを見ていた。その先端が自分に向けられ、引き金がまさに引かれようとしていることが、うまく実感できなかった。物事はあまりにも無意味で唐突だった。しかしそれは発射された。

反動で銃口が空中にはねあがるのが見えた。それと同時に右の肩口をハンマーで思いきり叩かれたような衝撃があった。痛みは感じなかった。片桐はその衝撃にはねとばされるようなかっこうで道路に転げた。右手に持っていた革鞄が逆の方向にとんでいった。男はもう一度銃口を彼の方に向けた。二発目が発射された。彼の目の前にあったスナックの置き看板が粉々になった。人々の悲鳴が聞こえた。眼鏡がどこかにとんでしまって、目の前の風景がかすんでいた。男が拳銃を構えてこちらに近づいてくるのがぼんやりと見えた。俺は死のうとしているのだと片桐は思った。真の恐怖とは人間が自らの想像力に対して抱く恐怖のことです、とかえるくんは言った。片桐は迷うことなく想像力のスイッチを切り、重みのない静けさの中に沈み込んでいった。

目が覚めたとき、片桐はベッドに横たわっていた。彼はまず片目を開け、そっとまわりを眺め、それからもう一方の目を開けた。最初に視野に入ったのは、枕元に置かれたスチールのスタンドと、そこから彼の身体に向かってのびている点滴のチューブだった。白衣を着た看護婦の姿も見えた。自分が固いベッドの上に仰向けになり、奇妙な服を着せられていることもわかった。服の下はどうやら素っ裸であるようだった。

そうだ、俺は道路を歩いているときに誰かに撃たれたんだ。肩を撃たれたはずだ。右肩だ。そのときの光景が頭の中によみがえってきた。若い男の手の中にあった小さな黒い拳銃のことを思うと、心臓が不吉な音を立てた。あいつらは本当に俺を殺そうとしやがった、と片桐は思った。しかしなんとか死なずにすんだようだ。記憶もたしかだ。痛みはない。いや、痛みだけではなく、感覚というものがまったくない。手を持ち上げることすらできない。

病室には窓がなかった。昼か夜かもわからない。撃たれたのは夕方の5時前だった。それからいったいどれくらいの時間が経過したのだろう？　かえるくんと約束した真夜中はもう過ぎてしまったのだろうか。片桐は部屋の中に時計を捜した。しかし眼鏡がなくなったせいで遠くにあるものは何も見えなかった。

「すみません」と片桐は看護婦に声をかけた。

「ああ、やっと気がついたんですね。よかった」と看護婦が言った。

「今は何時ですか？」

看護婦は腕時計に目をやった。「9時15分」

「夜の？」

「いやだ、もう朝ですよ」

「朝の9時15分？」と片桐は枕から頭をわずかに浮かせ、しゃがれた声で言った。それは自分の声には聞こえなかった。「2月18日の朝の9時15分？」

「そうです」、彼女は念のために腕を上げてディジタル時計の日付を確認した。「今日は1995年の2月18日です」

「今日の朝、東京に大きな地震は起きなかった？」

「東京にですか？」

「東京に」

看護婦は首を振った。「私の知る限り、とくに大きな地震は起きていません」

片桐は安堵の息をついた。なにがあったにせよ、地震はとにかく回避されたのだ。

「ところで私の傷はどうですか？」

「傷？」と看護婦は言った。「傷って、どの傷？」

「撃たれた傷」

「撃たれた？」

「拳銃で。信用金庫の入り口近くで、若い男に。たぶん右の肩」

看護婦は居心地の悪い微笑を口もとに浮かべた。「困りましたね。片桐さんは拳銃で撃たれてなんかいませんよ」

「撃たれていない？　本当に？」

「本当にぜんぜん撃たれていません。それは今朝大地震が起こっていないのと同じくらい本当のことです」

片桐は途方に暮れた。「じゃあ私はなんで病院にいるんですか？」

「片桐さんは昨日の夕方、歌舞伎町の路上で昏倒しているところを発見されたんです。外傷はありません。ただ意識を失って倒れていただけです。原因については、今のところはっきりしたことはわかりません。しばらくしたら先生がお見えになりますので、話してみてください」

昏倒？　拳銃が自分に向けて発射されるところを片桐はたしかに目にしたのだ。彼は大きく深呼吸をして頭の中を整理してみた。ひとつひとつものごとを明らかにしていこう。彼は言った。

「ということは、私は昨日の夕方からずっとこの病院のベッドに寝ていたんですね。意識を失って」

「そうです」と看護婦は言った。「昨夜はひどくうなされていましたよ、片桐さん。ずいぶんたくさん悪い夢を見ていたみたい。何度も何度も大声で『かえるくん』と叫んでました。かえるくんというのはお友だちのあだなか何かでしょうか？」

片桐は目を閉じて心臓の鼓動に耳を澄ませた。それはゆっくりと規則正しく生命のリズムを刻んでいた。いったいどこまでが現実に起こったことで、どこからが妄想の領域に属することなのだろう。かえるくんは実在し、みみずくんと闘って地震をくい止めたのだろうか。それともすべては長い白日夢の一部に過ぎなかったのか？　片桐にはわけがわからなかった。


その日の夜中にかえるくんが病室にやってきた。片桐が目を覚ますと、小さな明かりの中にかえるくんがいた。かえるくんはスチールの椅子に腰をおろし、壁にもたれかかっていた。とても疲れているように見えた。大きく飛び出た緑の目は、横一本のまっすぐな線になって閉じられていた。

「かえるくん」と片桐は呼びかけた。

かえるくんはゆっくりと目を開けた。大きな白い腹が呼吸にあわせてふくらんだりしぼんだりしていた。

片桐は言った。「約束どおり真夜中にボイラー室に行くつもりでいたんだ。でも夕方に予期せぬ事故にあって、この病院に運び込まれてしまった」

かえるくんはかすかに首を振った。「よくわかっています。でも大丈夫、心配することはありません。片桐さんはぼくの闘いをちゃんと助けてくれました」

「私が君を助けた？」

「ええ、そうです。片桐さんは夢の中でしっかりとぼくを助けてくれました。だからこそぼくはみみずくん相手になんとか最後まで闘い抜くことができたんです。片桐さんのおかげです」

「わからないな。私は長い時間ずっと意識を失っていたし、点滴を受けていた。自分が夢の中で何をやったのか、ぜんぜん覚えていないんだ」

「それでよかったんですよ、片桐さん。何も覚えていない方がいい。いずれにせよ、すべての激しい闘いは想像力の中でおこなわれました。それこそがぼくらの戦場です。

ぼくらはそこで勝ち、そこで破れます。もちろんぼくらは誰もが限りのある存在ですし、結局は破れ去ります。でもアーネスト・ヘミングウェイが看破したように、ぼくらの人生は勝ち方によってではなく、その破れ去り方によって最終的な価値を定められるのです。ぼくと片桐さんはなんとか東京の壊滅をくい止めることができました。15万人の人々が死のあぎとから逃れることができました。誰も気づいていませんが、ぼくらはそれを達成したのです」

「君はどんな風にみみずくんを打ち破ったの？　そして私は何をしたんだろう？」

「ぼくらは死力を尽くしました。ぼくらは……」、かえるくんはそこで口をつぐんで、大きく息をついた。「ぼくと片桐さんは、手にすることのできたすべての武器を用い、すべての勇気を使いました。闇はみみずくんの味方でした。片桐さんは運び込んだ足踏みの発電器を用いて、その場所に力のかぎり明るい光を注いでくれました。みみずくんは闇の幻影を駆使して片桐さんを追い払おうとしました。しかし片桐さんは踏みとどまりました。闇と光が激しくせめぎあいました。その光の中でぼくはみみずくんと格闘しました。みみずくんはぼくの身体に巻き付き、ねばねばした恐怖の液をかけました。ぼくはみみずくんをずたずたにしてやりました。でもずたずたにされてもみみずくんは死にません。彼はばらばらに分解するだけです。そして――」

そこでかえるくんは黙り込んだ。それから力を振り絞るように再び口を開いた。

「フョードル・ドストエフスキーは神に見捨てられた人々をこのうえなく優しく描き出しました。神を作り出した人間が、その神に見捨てられるという凄絶なパラドックスの中に、彼は人間存在の尊さを見いだしたのです。ぼくは闇の中でみみずくんと闘いながら、ドストエフスキーの『白夜』のことをふと思いだしました。ぼくは……」とかえるくんは言いよどんだ。「片桐さん、少し眠っていいですか。ぼくは疲れました」

「ぐっすり眠ればいい」

「ぼくはみみずくんを打ち破ることはできませんでした」と言ってかえるくんは目を閉じた。「地震を阻止することはどうにかできましたが、みみずくんとの闘いでぼくにできたのは、なんとか引き分けに持ち込むことだけでした。ぼくはみみずくんに被害を与え、みみずくんもぼくに被害を与えました。……でもね、片桐さん」

「なんだい？」

「ぼくは純粋なかえるくんですが、それと同時にぼくは非かえるくんの世界を表象するものでもあるんです」

「私にはよくわからないな」

「ぼくにもよくわかりません」とかえるくんは目を閉じたまま言った。「ただそのような気がするのです。目に見えるものが本当のものとはかぎりません。ぼくの敵はぼく自身の中のぼくでもあります。ぼく自身の中には非ぼくがいます。ぼくの頭はどうやら混濁しています。機関車がやってきます。でもぼくは片桐さんにそのことを理解していただきたいのです」

「かえるくん、君は疲れているんだ。眠れば回復する」

「片桐さん、ぼくはだんだん混濁の中に戻っていきます。しかしながらもし……ぼくが……」

かえるくんはそのまま言葉を失って、昏睡の中に入っていった。長い両手はだらんと床近くまで垂れ下がり、ひらべったい大きな口は軽く開けられていた。目をこらすと身体のいたるところに深い傷跡が見えた。変色した筋があちこちに走り、頭の一部がちぎれてへこんでいた。

片桐は眠りの厚い衣に包まれたかえるくんの姿を、長いあいだ眺めていた。病院を出たら、『アンナ・カレーニナ』と『白夜』を買って読んでみようと片桐は思った。そしてそれらの文学について、かえるくんと心ゆくまで語り合うのだ。

やがてかえるくんがぴくぴくと動き始めた。最初のうち、かえるくんが眠りの中で身体をゆすっているのだと片桐は思った。でもそうではない。かえるくんは大きな人形が後ろから誰かに揺すぶられているような、どこか不自然な動き方をしていた。片桐は息をのんで、その様子をうかがっていた。彼は立ち上がってかえるくんのそばに行きたかった。しかし身体が痺れて、言うことをきかない。

やがてかえるくんの目のすぐ上の部分が、大きな瘤になって盛り上がってきた。肩のあたりにも脇腹にも、同じような瘤が醜いあぶくのように盛り上がった。体中が瘤だらけになった。何が起こりつつあるのか、片桐には想像がつかなかった。彼は息を止めてその光景を見守っていた。

それからとつぜんひとつの瘤がはじけた。ぽんという音がしてその部分の皮膚が飛び散り、どろりとした液が吹き出し、いやなにおいが漂った。ほかの瘤も次々に同じようにはじけた。全部で20か30の瘤が破裂し、壁に皮膚の切れ端と液が飛び散った。我慢できないほどの悪臭が狭い病室にたちこめた。瘤のはじけたあとには暗い穴が開き、そこから大小さまざまの蛆虫のようなものがうじゃうじゃと這い出てくるのが見えた。ぶよぶよとした白い蛆虫だ。蛆虫のあとから、小さなむかでのようなものも出てきた。彼らはその無数の脚でもぞもぞという不気味な音を立てた。虫たちは次から次へと這い出してきた。かえるくんの身体は——かつてかえるくんの身体であったはずのものは——様々な種類の暗黒の虫によって隈なく覆われていた。大きな丸いふたつの眼球が、眼窩からぽとりと床に落ちた。強い顎を持った黒い虫たちがその眼球にたかり、むさぼった。みみずの群が先を競うようにぬるぬると病室の壁をよじ登り、やがて天井に達した。それは蛍光灯を覆い、火災報知機の中にもぐりこんだ。

床の上も虫たちでいっぱいになっていた。虫たちはスタンドの明かりを覆って、その光を遮った。彼らはもちろんベッドに這いあがってきた。ありとあらゆる虫が片桐のベッドの布団の中に潜り込んできた。虫たちは片桐の脚を這いのぼり、寝間着の中に入り、股のあいだに入り込んできた。小さな蛆虫やみみずが肛門や耳や鼻から体内に入ってきた。むかでたちが口をこじ開け、次々に中に潜り込んだ。片桐は激しい絶望の中で悲鳴を上げた。

誰かが明かりをつけた。部屋の中に光が溢れた。

「片桐さん」と看護婦が声をかけた。片桐は光の中に目を開けた。身体は水をかけられたみたいにぐっしょりと汗で濡れている。もう虫たちはいない。ぬるぬるとしたいやな感触が身体中に残っているだけだ。

「また悪い夢を見ていたのね。かわいそうに」、看護婦は手早く注射の用意をし、彼の腕に針を刺した。

片桐は大きく長く息を吸い込み、そして吐いた。心臓が激しく収縮し、拡張した。

「いったいどんな夢だったの?」

何が夢で何が現実なのか、その境界線を見定めることができなかった。「目に見えるものがほんとうのものとは限らない」、片桐は自分自身に言い聞かせるようにそう言った。

「そうね」と看護婦は言って微笑んだ、「とくに夢の場合はね」

「かえるくん」と彼はつぶやいた。

「かえるくんがどうしたの？」

「かえるくんが一人で、東京を地震による壊滅から救ったんだ」

「それはよかったわ」と看護婦は言った。そして点滴液を新しいものに取り替えた。「それはよかった。東京には、ひどいものはとくにこれ以上必要ないものね。今あるものだけでじゅうぶん」

「でもそのかわり、かえるくんは損われ、失われてしまった。あるいはもともとの混濁の中に戻っていった。もう帰ってはこない」

看護婦は微笑みを浮かべたまま、タオルで片桐の額の汗を拭った。「片桐さんはきっと、かえるくんのことが好きだったのね？」

「機関車」と片桐はもつれる舌で言った、「誰よりも」。それから目を閉じて、夢のない静かな眠りに落ちた。

蜂蜜パイ

1

「熊のまさきちは食べきれないほどたくさんの蜂蜜を手に入れたんで、それをバケツに入れ、山を下りて町に売りにいった。まさきちは蜂蜜とりの名人だった」

「どうして熊がバケツなんかを持っているの？」と沙羅が質問した。

淳平は説明した。「たまたま持っていたんだ。道に落っこちていたのを拾ってきたんだよ。いつか役に立つかもしれないと思ってさ」

「うまく役に立ったんだ」

「そういうこと。熊のまさきちは町に入って、広場に自分の場所をみつけた。そして『おいしい自然のはちみつ。コップいっぱい200えんです』という札を立てて、蜂蜜を売り始めた」

「熊に字が書けるの？」

「ノー。熊には字は書けない」と淳平は言った。「近くにいたおじさんに頼んで、鉛筆でそう書いてもらった」

「お金の計算はできるの？」

「イエス。お金の計算はできる。まさきちは小さいころ人間に飼われていて、言葉をしゃべったり、お金の勘定をしたり、そういうことができるようになったんだ。もともとが器用な性格だったし」

「じゃあ普通の熊さんとはちょっと違うんだね？」

「うん、普通の熊さんとはちょっと違う。まさきちはわりにとくべつの熊なんだ。だからまわりのとくべつじゃない熊からは、いくらか煙ったがられるところがあった」

「煙ったがるってどういうこと？」

「煙ったがるというのは、『なんだよ、あいつ。かっこつけやがって』とか、みんなで『ふん』って言って、相手にしなかったりすることだよ。うまくなじめないんだね。とりわけ乱暴者のとんきちがまさきちを嫌っていた」

「まさきちはかわいそうだね」

「かわいそうなんだ。かといってまさきちは外見は熊だから、人間たちからは『計算ができたって、人の言葉がしゃべれたって、しょせんは熊じゃないか』と思われていた。どっちの世界からもうまく受け入れてもらえなかったんだね」

「もっとかわいそうだね。まさきちにお友だちはいなかったの？」

「友だちはいない。熊は学校にいかないから、仲良しの友だちをつくる場所もなかったんだ」

「沙羅には幼稚園のお友だち、いるよ」

「もちろん」と淳平は言った。「もちろん。沙羅には友だちがいる」

「ジュンちゃんにはお友だちはいる？」、淳平おじさんという呼び名は長すぎたので、沙羅は淳平を簡単にジュンちゃんと呼んでいた。

「沙羅のお父さんは、ずっと昔から僕のいちばんの友だちだ。それからお母さんも同じくらいいちばんの友だちだよ」

「よかったね。お友だちがいて」

「まったくね」と淳平は言った。「お友だちがいてよかった。君の言うとおりだ」

淳平は沙羅が寝る前によく、その場で即席でこしらえたお話をした。沙羅は話の途中でわからないことがあると、そのたびに質問した。淳平はそれにひとつひとつていねいに答えた。質問はなかなか鋭く興味深かったし、また答えを考えているうちに話の続きを思いつくことができた。

小夜子が温めた牛乳をもってきた。

「熊のまさきちの話をしているんだよ」と沙羅が母親に教えた。「まさきちは蜂蜜とりの名人なんだけど、お友だちがいないの」

「ふうん。まさきちは大きな熊なの？」と小夜子が沙羅に尋ねた。

沙羅は不安げに淳平の顔を見た。「まさきちは大きいの？」

「そんなに大きくはない」と淳平は言った。「どちらかというと、小柄な熊なんだ。沙羅とそんなには変わらないくらいだ。性格もおとなしい。音楽もパンクとかハードロックとか、そういうのは聴かない。ひとりでシューベルトを聴いたりする」

小夜子が『鱒』のメロディーをハミングした。

「音楽を聴くって、まさきちはＣＤプレイヤーかなんか持ってるの？」と沙羅が淳平に尋ねた。

「どこかでラジカセが落ちているのを見つけたんだ。拾ってうちに持って帰った」

「そんなにうまくいろんなものが山に落ちているかなあ？」と沙羅が疑わしそうな声で尋ねた。

「それはそれは険しい山なので、登山する人たちがみんなふらふらになってしまって、余分な荷物を片端から道ばたに捨てていくんだ。『もうだめだ。重くて重くて死にそうだ。バケツなんかいらないよ。ラジカセなんかいらないよ』ってさ。だから必要なものはだいたい道に落ちているんだ」

「お母さんにもその気持ちはわかるな」と小夜子が言った。「何もかも捨ててしまいたいことってあるもの」

「沙羅にはないね」

「キミは欲張りだからだよ」と小夜子は言った。

「欲張りじゃないよ」と沙羅が抗議した。

「それは沙羅がまだ若くて、元気いっぱいだからだ」と淳平は表現を穏当に訂正した。

「でも早く牛乳を飲んじゃおう。そうすれば熊のまさきちの話の続きをしてあげるから」

「いいよ」と沙羅は言った。そして両手でカップを抱えて、大事そうに温かい牛乳を飲んだ。「でもさ、どうしてまさきちは蜂蜜パイを作って売らないんだろう。蜂蜜だけを売るより、蜂蜜パイを売った方が、町の人たちも喜ぶと思うんだけどな」

「正しい意見ね。その方が利潤も大きくなるし」と小夜子は微笑んで言った。

「付加価値によるマーケットの掘り返し。この子は起業家になれる」と淳平は言った。


沙羅がベッドに戻って、再び眠りについたのは夜中の2時前だった。淳平と小夜子は子どもが寝入ったのを確認してからキッチンのテーブルに向かい合って座り、缶ビールを半分ずつ分けて飲んだ。小夜子はあまり酒が強くないし、淳平はこれから代々木上原まで車を運転して戻らなくてはならなかった。

「夜中に呼び出して悪かったわね」と小夜子は言った。「でもどうすればいいのかわからなかったの。疲労困憊して、途方に暮れていて、あなた以外に沙羅を落ちつかせてくれそうな人を思いつけなかったの。カンに電話するわけにもいかないじゃない」

淳平はうなずいてビールをひとくち飲み、皿のクラッカーをとって食べた。

「僕のことなら気にしなくてもいいよ。どうせ明け方まで起きているし、夜中は道路もすいている。たいした手間じゃない」

「仕事をしていたの？」

「まあね」

「小説を書いていたの？」

淳平はうなずいた。

「うまく行ってる？」

「いつものとおりだよ。短篇を書く。文芸誌に掲載される。誰も読まない」

「私はあなたの書いたものは、ひとつ残らず読んでいるわよ」

「ありがとう。君は親切な人だ」と淳平は言った。「でもそれはそれとして、短篇小説という形式は、あの気の毒な計算尺みたいに着々と時代遅れになりつつある。でもまあそれはいい。沙羅のことを話そう。今晩と同じようなことが何度かあったの？」

小夜子はうなずいた。「何度かというような生やさしいものじゃないわね。ここのところほとんど毎日よ。真夜中過ぎにヒステリーを起こしてとび起きる。震えがしばらく収まらない。どれだけなだめても泣き止まない。お手上げ」

「原因に心当たりはある？」

小夜子はビールの残りを飲み、空になったグラスをひとしきり眺めていた。

「たぶん、神戸の地震のニュースを見すぎたせいだと思う。おそらくあの映像は4歳の女の子には刺激が強すぎたのね。ちょうど地震があったころから夜中に目を覚ますようになったから。沙羅は、知らないおじさんが自分のことを起こしに来るんだっていうの。それは地震男なの。その男が沙羅を起こしに来て、小さな箱の中に入れようとするの。とても人が入れるような大きさの箱じゃないんだけど。それで沙羅が入りたくないというと、手を引っ張って、ぽきぽきと関節を折るみたいにして、むりに押し込めようとする。そこで沙羅は悲鳴を上げて目を覚ますの」

「地震男？」

「そう。ひょろっと背の高い、年寄りの男の人なんだって。その夢を見たあと、沙羅は家中の明かりをつけて調べてまわるのよ。押入から下駄箱からベッドの下からタンスの引き出しまで。いくら夢だといっても納得しないの。捜索をひととおり終えて、その男がどこにも隠れていないことがわかると、やっと安心して眠ることができる。そこにいくまでに2時間はかかるし、その頃には私の眼がさえてしまっている。慢性的な寝不足でもうふらふらよ。仕事も手につかないくらい」

小夜子がそんな風に感情を表にあらわすのは珍しいことだった。

「なるべくニュースは見ないことだね」と淳平は言った。「テレビそのものもしばらくはつけない方がいい。今はどこのチャンネルでも地震の映像が出てくるから」

「テレビなんてもうほとんど見てないわ。でもだめ。それでも地震男はやってくるの。お医者にも行ったんだけど、気休めに睡眠薬みたいなものをくれるだけ」

淳平はしばらくそれについて考えた。

「もしよかったら、今度の日曜日に動物園に行ってみないか。沙羅はいちど本物の熊を見たいんだって」

小夜子は目を細めて淳平の顔を見た。「悪くないわね。いい気分転換になるかもしれない。うん、久しぶりに4人で動物園に行こう。カンにはあなたの方から連絡をしておいてくれる？」


淳平は36歳、兵庫県の西宮市に生まれそこで育った。夙川《しゅくがわ》の静かな住宅地だ。父親は時計宝飾店を経営し、大阪と神戸に一軒ずつ店舗を出していた。6歳離れた妹がいる。神戸の私立進学校から早稲田大学に進んだ。商学部と文学部の両方に合格し、迷わず文学部を選んだが、両親には商学部に入ったと嘘の報告をしておいた。文学部では学費を出してくれそうになかったからだ。淳平は経済の仕組みを勉強して、4年間を無駄にするつもりはなかった。彼が望んでいたのは文学を学ぶこと、更に言えば小説家になることだった。

教養課程のクラスで、二人の親しい友だちを作った。ひとりは高槻（カンちゃん）であり、もうひとりは小夜子だった。高槻は長野の出身で、高校時代はサッカー部のキャプテンをしていた。背が高く肩幅が広い。一年浪人していたので、淳平よりはひとつ年上だった。現実的で決断力があり、人なつっこい顔立ちで、どこのグループに入っても自然にリーダーシップを取るタイプだが、本を読むのは苦手だった。文学部に来たのは、ほかの学部の試験に落ちたからだ。「でもかまわない。新聞記者になるつもりだから、ここで文章の書き方を覚えよう」と彼は前向きに言った。

なぜ高槻が自分なんかに興味を持ったのか、淳平には理由がよくわからなかった。淳平は暇があれば一人で部屋にこもって、いつまでも飽きることなく本を読んだり音楽を聴いているタイプで、体を動かすのは不得意だった。人見知りをするので、なかなか友だちが作れない。しかしなぜか高槻は、最初のクラスで淳平を一目見たときから、こいつを友人にしようと決めたようだった。彼は淳平に声をかけて、肩を軽く叩き、よかったら飯でも食いに行こうよと誘った。そして二人はその日のうちに、心を許しあえるほどの親友になっていた。一口でいえば、うまがあったのだ。

高槻は淳平を伴って、同じように小夜子に接近した。肩を軽く叩いて、よかったら三人で飯でも食いに行こうよと言った。淳平と高槻と小夜子はそのようにして、小さく親密なグループを形成することになった。彼らはいつも三人で行動した。講義ノートを見せあったり、大学の食堂で昼食をともにしたり、講義のあいまに喫茶店で将来について語り合ったり、同じところでアルバイトをしたり、オールナイトの映画を見に行ったり、ロック・コンサートを聴きに行ったり、あてもなく東京の街を歩き回ったり、ビヤホールで気持ちが悪くなるくらいビールを飲んだりした。つまり世界中の大学一年生がやるようなことをやったわけだ。

小夜子は浅草の生まれで、父親は和装小物店を経営していた。何代も続いた老舗で、有名な歌舞伎役者が贔屓にしているということだ。兄が二人いて、一人は店を継ぐことになっており、もう一人は建築設計の仕事をしていた。彼女は東洋英和女学院高等部を出て、早稲田大学の文学部に進んだ。英文科の大学院に進んで研究の道に入りたいと思っていた。よく本も読んだ。淳平と小夜子はお互いの読んだ本を交換し、小説について熱心に語りあった。

美しい髪と知的な目をもった娘だった。話し方は素直で穏やかだったが、芯は強かった。表情のある口もとがそれを雄弁に物語っている。いつもカジュアルな服装をして化粧気もなく、派手に人目をひくタイプではないのだが、独特のユーモアの感覚があり、ちょっとした冗談を言うときに悪戯っぽく顔が崩れる瞬間があった。淳平はその表情を美しいと思った。彼女こそ自分が探し求めていた女性だと確信した。小夜子と出会う前に、恋に落ちたことは一度もなかった。男子校の出身だったし、女性と知り合う機会もほとんどなかったのだ。

しかし淳平は、そんな想いを小夜子に打ち明けることはできなかった。一度口に出してしまったら、もう後戻りはできなくなる。小夜子はどこか手の届かないところに去っていってしまうかもしれない。そうでなくても、高槻と自分と小夜子とのあいだにバランスよく心地よく成立している今の関係は、微妙に損なわれてしまうことだろう。しばらくはこのままでいいじゃないか、淳平はそう思った。もう少し様子を見よう。

先に動いたのは高槻の方だった。「こんなことを急に面と向かって言い出すのは心苦しいんだけど、俺は小夜子のことが好きなんだ。それで、かまわないか？」と高槻は言った。9月の半ばのことだった。夏休みに淳平が関西に帰っているあいだに、ふとした偶然のきっかけで深い仲になってしまったのだと、高槻は淳平に説明した。

淳平は相手の顔をしばらく見つめていた。成りゆきを理解するのにしばらく時間がかかったが、いったん理解すると、その状況は彼の全身に鉛のように重くいこんだ。そこにはもはや選択肢はなかった。「かまわないよ」淳平は答えた。

「よかった」と高槻はにっこりと笑って言った。「お前のことだけがひっかかっていたんだ。せっかくいい関係を作ってきたのに、俺が勝手に抜け駆けしたみたいでさ。でもな淳平、こいつはいつかは起こったことなんだよ。それは理解してくれ。今起こらなくても、いつかはどこかで起こったはずだ。でもそのことはそのこととして、俺たちはこれまでどおりに三人で友だちとしてつきあっていきたい。いいかい？」

それからの何日かを、淳平は雲の上を歩いているような気持ちで過ごした。授業には出席しなかったし、アルバイトも無断で欠勤した。六畳一間のアパートの部屋にいちにち寝ころび、冷蔵庫に残っていたわずかなもの以外何も食べず、ときどき思い出したように酒を飲んだ。淳平は大学をやめることを真剣に考えた。遠くの、ひとりも知り合いがいない町に行って、肉体労働をしながらそこで孤独に一生を終えるのだ。それが自分にもっともふさわしい生き方みたいに思えた。

クラスに出なくなって五日目に、小夜子が淳平のアパートの部屋にやってきた。紺のスエットシャツに白のコットンパンツ、髪は後ろにあげてまとめていた。
「どうしてずっと学校に来なかったの？　部屋で死んでいるんじゃないかって、みんなで心配していたのよ。それでカンちゃんが私に見てこいって言ったの。ご本人は死体を見るのは気が進まないみたい。あれでけっこう気が弱いところがあるから」

体調が悪かったんだ、と淳平は言った。

「そういえばずいぶん痩せたみたいだよ」と小夜子は彼の顔をのぞきこんで言った。「何か食べるものを作ってあげようか？」

淳平は首を振った。食欲がないんだ、と彼は言った。

小夜子は冷蔵庫を開け、中をのぞいて顔をしかめた。冷蔵庫には2本の缶ビールと死んでしまったキュウリと防臭剤が入っているだけだ。小夜子は淳平の横に腰を下ろした。「ねえ淳平くん、うまく言えないけど、つまり、あなたは私とカンちゃんのことで、何か気を悪くしているんじゃないの？」

気を悪くしているわけじゃない、と淳平は言った。嘘ではない。彼は気を悪くしたり、腹を立てたりしているわけではなかった。もし彼が腹を立てているとしたら、それは自分自身に対してだった。高槻と小夜子が恋人同士になったのはむしろ当たり前のことなのだ。とても自然なことだ。高槻にはその資格があるし、自分にはない。

「ねえビールを半分っこしていい？」と小夜子は言った。

「いいよ」

小夜子は冷蔵庫から缶ビールを出し、二つのグラスに分けた。そしてひとつを淳平に渡した。二人はそれぞれに黙ってビールを飲んだ。

それから小夜子は言った。「あのね、こんなことをあらためて口にするのは恥ずかしいんだけど、淳平くんとはこれからも仲のいい友だちでいたいの。今だけじゃなく、もっと歳をとってからも、ずっと。私はカンちゃんのことが好きだけど、それとは違う意味で、あなたのことも必要としているの。こういうのって勝手な言いぶんだと思う？」

淳平はよくわからなかったが、とにかく首を振った。

小夜子は言った。「何かをわかっているということと、それを目に見えるかたちに変えていけるということは、また別の話なのよね。そのふたつがどちらも同じようにうまくできたら、生きていくのはもっと簡単なんだろうけど」

淳平は小夜子の横顔を見た。小夜子が何を伝えようとしているのか、彼には理解できなかった。どうして俺はこんなに血のめぐりが悪いんだろうと淳平は思った。彼は天井を見上げ、そこにある染みのかたちを長いあいだ意味もなく眺めていた。

もし高槻より先に自分が小夜子に愛を告白していたら、事態はいったいどんな風に展開していたのだろう？　淳平には見当もつかない。彼にただひとつわかるのは、そんなことはどう転んでも起こり得なかったという事実だけだった。

涙が畳の上に落ちる音が聞こえた。奇妙に誇張された音だった。淳平は一瞬、知らないあいだに自分が泣いているのかと思った。でも泣いているのは小夜子の方だった。彼女は膝のあいだに顔を伏せ、声を上げずに肩を震わせていた。

淳平はほとんど無意識に手を伸ばして、小夜子の肩に置いた。それから静かに彼女の身体を抱き寄せた。抵抗はなかった。彼は小夜子の身体に両腕をまわし、その唇に唇をかさねた。彼女は目を閉じて、軽く口を開いた。淳平は涙のにおいを嗅ぎ、唇のあいだから彼女の吐息を吸い込んだ。小夜子のふたつの乳房の柔らかさを、胸に感じた。頭の中で何かが大きく入れ替わるような感触があった。その音も聞こえた。世界中の関節がきしむような音だった。でもそれだけだ。小夜子は意識を取り戻したように顔を伏せ、彼の身体をおしのけた。

「駄目よ」と小夜子は静かに言って、首を振った。「それは間違ってる」

淳平は謝った。小夜子は何も言わなかった。二人はそのままの格好で長いあいだ黙り込んでいた。開いた窓から風に乗って、ラジオの音が聞こえてきた。流行りの歌がかかっていた。きっとこの歌を死ぬまで忘れないだろうと淳平は思った。でも実際には、後日どれだけ努力しても、その曲の題名もメロディーも思い出せなかった。

「謝ることないのよ。あなたのせいじゃないんだから」と小夜子は言った。

「たぶん僕は混乱しているんだと思う」と淳平は正直に言った。

小夜子は手を伸ばして、淳平の手に重ねた。

「明日から学校に出てきてくれる？　私はこれまであなたのような友だちを持ったことがなかったし、あなたは私にいろんなものを与えてくれるのよ。そのことはわかってね」
「でもそれだけじゃ足りないんだね」と淳平は言った。
「そうじゃない」と小夜子は顔を伏せ、あきらめたように言った。「そういうことじゃないんだけど」

淳平は翌日からクラスに顔を見せた。そして淳平と高槻と小夜子は、大学を卒業するまで親密な三人の関係を維持した。このままどこかにいなくなってしまいたいという淳平の一時期の思いは、不思議なほどあっさりと消滅してしまった。アパートの部屋で小夜子を抱いて唇をかさねたことによって、彼の中で何かがしかるべき場所に落ちついたのだ。少なくとももう迷う必要はないんだ、と淳平は思った。決断は既になされたのだ。たとえその決断をしたのが彼以外の人間であったにせよ。

小夜子が淳平に高校時代のクラスメートを紹介し、四人でデートすることもあった。淳平はそのうちの一人と交際するようになり、最初のセックスをした。二十歳の誕生日の少し前だった。しかし彼の心はいつもどこか別の場所にあった。淳平は恋人に対して常に礼儀正しく、優しく親切だったけれど、情熱的であったり献身的であったりしたことは一度もなかった。淳平が情熱的であったり献身的であったりするのは、一人で小説を書いているときだけだった。恋人はやがて、ほかの場所に本物の温もりを求めて離れていった。同じことが何度か繰り返された。

大学を卒業して、彼が商学部ではなく文学部に通っていたことが露見して、淳平と両親の仲は険悪になった。父親は彼が関西に戻って家業を継ぐことを求めたが、淳平にはそのつもりはなかった。東京で小説を書きつづけたいと彼は言った。両者のあいだに歩み寄りの余地はなかったし、結局激しい口論になった。口にするべきではない言葉がいくつか口にされた。それ以来一度も顔を合わせてはいない。親子とはいっても、最初からうまく行くはずがなかったんだと淳平は思った。両親にうまく調子を合わせてやっている妹とは違って、淳平は小さいときからことあるごとに常に親とぶつかりあっていた。義絶か、と淳平は苦笑した。まるで大正時代の文士みたいだ。

淳平は就職をせず、アルバイトをして食いつなぎながら小説を書いた。当時の淳平は作品を書き上げるとまず小夜子に見せ、率直な感想を聞いた。そして彼女のアドバイスに従って改稿した。彼女が「これでいい」と言うまで何度も、ていねいに我慢強く書き直した。淳平には小説の師もいなければ仲間もいなかった。小夜子のアドバイスだけがかすかな導きの灯だった。

24歳のときに書いた短篇小説が文芸誌の新人賞をとり、それが芥川賞の候補になった。その後五年のあいだに合計で四度、芥川賞の候補になった。悪くない成績だ。しかし結局賞をとることはできず、万年有力候補で終わった。「この年齢の新人としては文章の質も高く、情景描写と心理描写には見るべきものがあるが、処どころで感傷的に流れる傾向があり、力強い新鮮さ、小説的展望に欠ける」というのが代表的な選評だった。

高槻はその選評を読んで笑った。「こいつらはみんな頭がずれてると思うね。小説的展望っていったい何だ？　まともな社会人はそんな言葉使わないぜ。今日のすきやきは牛肉的展望に欠けたとか、そんなこと言うか？」

30歳になる前に淳平は二冊の短篇小説集を出した。一冊目が『雨の中の馬』、二冊目は『葡萄』だった。『雨』は一万部売れ、『葡萄』は一万二千部売れた。純文学の新人作家の短篇集にしては悪くない数字だと担当編集者は言った。新聞や雑誌の書評も概して好意的だったが、かといってとくに熱烈な支持も見あたらなかった。

淳平が書く短篇小説は、主に若い男女のあいだの報われない愛の経緯を扱っていた。結末は常に暗く、いくぶん感傷的だった。よく書けている、と誰もが言った。しかし文学の流行からは間違いなくはずれていた。彼のスタイルは叙情的で、筋書きはどことなく古風だった。同年代の一般的な読者は、もっとたくましく目新しい文体と物語を求めていた。なにしろコンピュータ・ゲームとラップ・ミュージックの時代なのだ。編集者は彼に、長篇小説を書いてみてはどうかと勧めた。短篇小説ばかり書きつづけていると、どうしても似たマテリアルの繰り返しになるし、小説世界もそれにあわせて痩せていく。そういうときは長篇小説を書くことによって、新しい世界がひらける場合が多い。現実的な面から言っても、短篇小説よりは長篇小説の方が世間の耳目を引きやすいし、職業的作家として長くやっていくつもりなら、短篇専門というのはいささか厳しいかもしれない。短篇小説だけ書いて生活していくのは簡単ではないから。

しかし淳平は生まれながらの短篇作家だった。部屋に閉じこもり、ほかのすべての雑用を放り出し、孤独の中で息を詰めて三日間で第一稿を仕上げる。そのあと四日かけて完成原稿にもっていく。もちろんそれから小夜子や編集者に読んでもらい、何度も細かく手を入れる作業があった。しかし基本的には、短篇小説は最初の一週間が勝負だった。大事なことはすべてそこで出し入れされ、決定された。そういう仕事のやり方は彼の性格にあっていた。短い期間内の徹底した集中。凝縮されたイメージと言葉。でも長篇小説を書こうとすると淳平はいつも困惑を覚えることになった。何カ月ものあいだ、あるいは一年近く、いったいどうやって意識の集中を保持し、御していけばいいのだろう。彼はそのペースを摑むことができなかった。

長篇小説を書くことを何度か試み、そのたびに敗退を余儀なくされたあとで、淳平はあきらめた。好むと好まざるとにかかわらず、短篇小説作家として生きていくしかないのだと思った。それが自分のスタイルなのだ。いくら努力しても別の人格になることはできない。巧い二塁手がホームラン・バッターになれないのと同じように。

淳平は簡素な独身生活を送っていたから、多くの生活費を必要としなかった。入り用なだけの収入を確保すると、それ以上の仕事は引き受けなかった。無口な三毛猫を飼った。要求の多くないガールフレンドを作り、それでも窮屈になってくると、きっかけをみつけて別れた。たまに、月に一度くらい、妙な時間に目が覚めて、ひどく不安な気持ちになることがあった。どれだけあがいても、俺は結局どこにも行けないんだと実感した。そういうときには机に向かって無理に仕事をするか、あるいは起きていられなくなるまで酒を飲んだ。それを別にすれば、静かな破綻のない人生だった。

高槻は希望どおり一流の新聞社に就職を決めた。勉強はしなかったから大学の成績は誉められたものではなかったが、面接の印象は圧倒的によかった。だからあっというう間に内定が出た。小夜子は、これも希望どおり大学院に進んだ。卒業して半年後に二人は結婚した。いかにも高槻らしい陽気でにぎやかな結婚式で、新婚旅行はフランスだった。まさに順風満帆というところだ。彼らは高円寺に二間のマンションを買い、淳平は週に二回か三回はそこに遊びに行って、夕食をともにした。新婚夫婦は淳平の訪問を心から歓迎してくれた。二人で水入らずでいるよりも、淳平を交えたときの方がむしろくつろいで見えるくらいだった。

高槻は新聞記者の仕事を楽しんでいた。彼はまず社会部に配属され、現場から現場へと飛び回っていた。そのあいだにたくさんの死体を目にした。おかげさまで死体を見ても何も感じなくなってきたよ、と彼は言った。ばらばらになった轢死体、黒こげの焼死体、腐って変色した古い死体、膨らんだ水死体、散弾銃で脳味噌を吹き飛ばされた死体、鋸で首と両腕を切断された死体。「生きているときには多少の差はあるけれど、死んだらみんな同じだ。使い捨てられた肉の抜け殻だ」

　忙しすぎて、朝になるまで帰宅できないこともしばしばあった。そんなとき小夜子はよく淳平に電話をかけてきた。淳平はいつも明け方まで起きていたし、そのことを小夜子は知っていた。

「今仕事中？　話をしてもいい？」

「いいよ。とくに何もしていないから」と淳平はいつも答えた。

　二人は最近読んだ本の話をし、お互いの日常生活で起こったことについて語った。それから昔の話をした。誰もが自由で乱雑で偶発的であった若い時代の出来事を。未来についてはほとんど語られなかった。そんな会話をしていると、いつもどこかの時点で、小夜子を抱いたときの記憶がよみがえった。昏のなめらかな感触や、涙の匂いや、乳房の柔らかさは、ついさっき起こったことのように彼のまわりにあった。アパートの畳の上に差し込んでいた初秋の透明な日差しを、再び目にすることもできた。

30歳を過ぎてまもなく小夜子は妊娠した。彼女はそのとき大学で助手をしていたのだが、休暇をとって女の子を出産した。三人がそれぞれ子どもの名前を考え、淳平が提案した「沙羅」という名前が採用された。音の響きが素敵だわ、と小夜子は言った。出産が無事に終わった夜、淳平と高槻は小夜子のいないマンションで、久しぶりに差し向かいで酒を飲んだ。キッチンのテーブルをはさんで、淳平が祝いにもってきたシングル・モルトを一本空にした。

「どうしてこんなにあっと言う間に時間が流れちまうんだろう」と高槻は、珍しく感慨深げに言った。「ついこのあいだ大学に入ったみたいな気がする。そこでお前に会って、小夜子に会って……でも気がつくと、子どもまでできちまっている。俺は父親になっている。早回しの映画を見ているみたいで、どうも妙な心もちだ。でもお前にはわからないだろうな。お前なんかまだ学生生活の続きみたいなものだ。うらやましい限りだよ」

「うらやましがられるほどのものじゃないけどね」

しかし淳平にも高槻の気持ちはわかった。小夜子が母親になってしまったのだ。それは淳平にとっても衝撃的な事実だった。人生の歯車がかちりという乾いた音を立ててひとつ前に進み、もう元には戻らないことが確認されたのだ。それについてどのような感慨を抱けばいいのか、淳平にはまだよくわからなかった。

「今だから言うけど、小夜子はもともとは、俺よりはお前に惹かれていたんだと思うな」と高槻は言った。彼はかなり酔っていた。しかし目の光はいつもより真剣だった。

「まさか」と淳平は笑って言った。

「まさかでもないさ。俺にはわかるんだ。でもお前にはわからなかった。お前はたしかに気の利いた美しい文章を書くことができる。でも女の気持ちについては、水死体よりも鈍感だ。いずれにせよ俺は小夜子が好きだったし、替わる女はどこにもいなかった。だから手に入れないわけにはいかなかった。今でも小夜子が世界でいちばん素晴らしい女だと思っている。そして俺には小夜子を手に入れる権利があったと思っている」

「誰も反対していないよ」と淳平は言った。

高槻はうなずいた。「でも、お前にはまだ本当にはわかってないんだ。何故かというと、お前は救いがたくアホだからだ。しかしアホでもかまわない。それほど悪い人間じゃない。だいいちうちの娘の名付け親になってくれたしな」

「でも、それはそれとして、大事なことは何もわかっていない」

「そのとおり。それはそれとして、お前には大事なことは本当には何もわかっていない。なんにも。それでよく小説が書けるもんだ」

「きっと小説はべつなんだよ」

「何はともあれ、これで俺たちは四人になった」、高槻は軽い溜息のようなものをついた。「でもどうだろう。四人というのは、はたして正しい数字なのだろうか？」

2

高槻と小夜子の関係が破局を迎えていることを知ったのは、沙羅が二歳の誕生日を迎える少し前だった。小夜子は淳平に、いくぶん申し訳なさそうにそのことを打ち明けた。小夜子が妊娠している時期から既に、高槻には恋人がいて、今ではほとんど家に戻っていないのだと。相手は職場の同僚の女性だった。しかしどれだけ具体的に説明されても、淳平にはうまく呑み込めなかった。なぜ高槻がよそに女をつくらなくてはならないのか。沙羅が生まれた夜、彼は小夜子のことを世界でいちばん素晴らしい女だと断言した。それは腹の底から出てきた言葉だった。そして高槻は娘の沙羅を溺愛していた。なのになぜ家庭を捨てなくてはならないのだ？

「僕はしょっちゅう君たちの家に行って食事を一緒にしていた。そうだよね？　でもそんな気配はまったく感じられなかった。幸福そうだったし、僕の目にはほとんど完璧な家庭に見えた」

「それはそのとおりなのよ」と小夜子は穏やかに微笑んで言った。「べつに嘘をついていたとか演技していたとか、そういうんじゃないの。でもそれとはべつに彼には恋人がいるし、元に戻すこともできない。だから私たちは別々になろうと思うの。でもあまり深く気にしないでね。その方がきっとうまくいくと思うから。いろんな意味あいで」

いろんな意味あいで、と彼女は言った。世界は難解な言葉づかいで満ちている、と淳平は思った。

数ヵ月後、小夜子と高槻は正式に離婚した。二人のあいだにいくつかの具体的な取り決めが結ばれたが、トラブルは一切なかった。非難の応酬もなく、主張のすれ違いもなかった。高槻は家を出て恋人と一緒になり、沙羅は母親のもとに残った。週に一度、高槻は沙羅に会いに高円寺に行った。その時はできるだけ淳平が同席するというのが三人のあいだの了解事項になった。その方が私たちにとっても楽だから、と小夜子は淳平に言った。その方が楽だから？　淳平は、自分がひどく歳をとったような気がした。俺はまだ33になったばかりなのに。

沙羅は高槻を「パパ」と呼び、淳平を「ジュンちゃん」と呼んだ。四人は奇妙な疑似家族を作り上げた。顔をあわせると高槻はいつもの調子で機嫌よく喋ったし、小夜子は何事もなかったように自然に振る舞った。淳平の目には、彼女はむしろ前よりも自然に振る舞っているようにも見えた。沙羅は両親が離婚したということがまだ理解できていなかった。淳平はとくに言いぶんもないまま、与えられた役割を不足なくこなしていた。三人は前と同じように冗談を言いあい、思い出話をした。淳平に理解できるのは、そのような場が彼ら全員にとってなくてはならないものであるという事実だけだった。

「なあ淳平」と帰り道で高槻が言った。一月の夜で、吐く息が白かった。「お前、誰かと結婚するあてはあるのか?」

「今のところはない」と淳平は言った。

「決まった恋人はいるのか?」

「いないと思う」

「どうだい、小夜子と一緒になるのはいやか?」

淳平は眩しいものを見るような目で高槻の顔を見た。「どうして?」

「どうして?」、むしろ彼の方が驚いたようだった。「どうしてって、そんなこと決まってるじゃないか。まずだいいちにお前以外の誰にも、沙羅の父親になってほしくないからだよ」

「ただそれだけのために、僕と小夜子が結婚するのか？」

高槻は溜息をついて、淳平の肩に太い腕をまわした。

「小夜子と結婚するのはいやなのか？　俺のあとがまになることが？」

「そういうことじゃない。僕がひっかかるのは、そんな風に取引か何かみたいにやりとりしていいもんだろうかということだ。これはディセンシーの問題なんだよ」

「これは取引なんかじゃない」と高槻は言った。「ディセンシーとも関係ない。お前は小夜子のことが好きなんだろう。それから沙羅のことだって好きなんだろう。違うのか？　それがいちばん大事なことじゃないか。たぶんお前にはお前のややこしい流儀みたいなのがあるんだろう。それはわかるよ。俺の目には、ズボンをはいたままパンツを脱ごうとしているようにしか見えないけどね」

淳平は何も言わなかった。高槻も沈黙していた。高槻がそんなに長く黙り込むのは珍しいことだった。二人は白い息を吐き、肩を並べて駅までの道を歩いた。

「いずれにせよ、お前はろくでもない馬鹿だよ」と淳平は最後に言った。

「それは言えてる」と高槻は言った。「実に本当にそのとおりだ。否定はしない。俺は自らの人生を損なっている。でもな、淳平、これはどうしようもないことだったんだ。止めようもないことだったんだ。どうしてそんなことが起こったのか、俺にもわからない。申し開きもできない。でもそれは起こったんだ。今じゃなくても、いつか同じことがどこかで起こっただろう」

　同じようなせりふを前に聞いたことがあるな、と淳平は思った。「小夜子は世界でいちばん素晴らしい女だと、沙羅が生まれた夜に僕にはっきり言っただろう。覚えているか？　何ものにも替えがたい女だって」

「それは今でも同じだ。それについては何も変わってないと思う。しかし、だからこそうまくいかないということだって世の中にはあるんだ」

「そう言われても僕にはわからないよ」

「お前には永久にわからないよ」と高槻は言った。そして首を振った。会話の最後のひとことは常に彼がとった。


　二人が離婚して二年が過ぎた。小夜子は大学には戻らなかった。淳平は知り合いの編集者に頼んで、翻訳の仕事を小夜子にまわしてもらい、彼女はそれをうまくこなした。彼女は語学の才能がある上に、文章の筋もよかった。仕事も迅速で、丁寧で、要領がよかった。編集者は小夜子の仕事ぶりに感服し、翌月にはまとまった文芸翻訳の仕事を持ち込んできた。高い稿料ではないが、高槻が送ってくる月々の生活費に加えれば、親子二人で不足なく暮らしていくことはできる。

　高槻と小夜子と淳平は相変わらず週に一度は集まり、沙羅を交えて食事をした。急な用件ができて高槻が来られなくなることがあり、そんなときには小夜子と淳平と沙羅の三人で食事をした。高槻がいないと食卓はとたんに静かになり、不思議なくらい日常的になった。知らない人が居合わせたら、間違いなく本物の家族だと思っただろう。淳平は地道に確実に短篇小説を書き続け、35歳のときに四作目の短篇集『沈黙する月』を出版し、それが中堅作家のための文学賞を受けた。表題作は映画化されることになった。小説の合間に音楽の評論集を何冊か上梓し、庭園論の本を書き、ジョン・アプダイクの短篇集を翻訳した。どれも好評だった。彼は自分の文体を持っていたし、音の深い響きや光の微妙な色合いを、簡潔で説得力のある文章に置き換えることができた。読者も固定し、収入もそれなりに安定し、彼は少しずつ確実に作家としての地歩を固めていった。

小夜子に結婚を申し込むことについて、淳平は真剣に考え続けた。一晩考えて、朝になってもまだ眠れないことが何度もあった。ある時期にはほとんど仕事が手につかなかった。しかしそれでもなお、淳平には決心がつかなかった。考えてみれば淳平と小夜子との関係は、そもそもの最初から一貫して、ほかの誰かの手によって決定されていた。彼は常に受動の立場に立たされていた。小夜子と彼を引き合わせてくれたのは高槻だった。高槻がクラスの中から二人をピックアップし、三人組を形成した。それから高槻は小夜子を取り、結婚し、子どもを作り、離婚した。そして今、小夜子と結婚することを淳平に勧めている。もちろん淳平は小夜子を愛している。疑問の余地はない。今が彼女と結ばれる絶好の機会だった。たぶん小夜子は彼の申込みを拒まないだろう。それもよくわかる。しかしあまりにも絶好すぎる、と淳平は思った。そう思わないわけにはいかなかった。彼自身の決定事項はいったいどこにあるのだ？　彼は迷い続けた。結論は出なかった。そして地震がやってきた。

地震が起こったとき、淳平はスペインにいた。航空会社の機内誌のためにバルセロナの取材をしていたのだ。夕方ホテルに戻ってテレビのニュースをつけると、崩壊した市街地と立ちのぼる黒煙が映し出されていた。まるで爆撃のあとのようだ。アナウンスはスペイン語だったから、どこの都市なのかしばらく淳平にはわからなかった。しかしどうみても神戸だ。見覚えのある風景がいくつも目についた。芦屋のあたりで高速道路が崩れ落ちていた。「淳平さんは神戸あたりの出身じゃなかったですか？」と同行したカメラマンが言った。

「そうだよ」

でも彼は実家に電話をかけなかった。両親と淳平とのあいだの確執はあまりにも深く、長く続いていたので、そこにはもう回復の可能性は見あたらなくなっていた。淳平は飛行機に乗って東京に戻り、そのまま平常の生活に戻った。テレビもつけなかったし、新聞もろくに開かなかった。地震の話題が出ると、口をつぐんだ。それは遥か昔に葬り去った過去からの響きだった。大学を出て以来その街に足を踏み入れたことすらない。にも関わらず、画面に映し出された荒廃の風景は、彼の内奥に隠されていた傷あとを生々しく露呈させた。その巨大で致死的な災害は、彼の生活の様相を静かに、しかし足もとから変化させてしまったようだった。淳平はこれまでにない深い孤絶を感じた。根というものがないのだ、と彼は思った。どこにも結びついていない。

動物園に熊を見に行こうと約束していた日曜日の早朝、高槻から電話がかかってきた。これから沖縄に飛ばなくちゃならないんだと彼は言った。県知事の単独インタビューがとれた。やっと一時間あけてくれたんだ。悪いけど動物園には俺抜きで行ってもらうことになる。俺が行かなくても、熊公はとくに気を悪くしないだろう。

淳平と小夜子は、沙羅をつれて三人で上野動物園に行った。淳平は沙羅を抱き上げて、熊たちを見せた。「あれがまさきちなの?」、いちばん大きな真っ黒なひぐまを指さして沙羅が尋ねた。

「いや、あれはまさきちじゃない。まさきちはもっと小柄で、もっと利口そうな顔をしている。あれは乱暴者のとんきちだ」

「とんきちくん!」と沙羅は熊に向かって何度か叫んだ。でも熊は気にもしなかった。

沙羅は淳平の方を向いた。「ジュンちゃん、とんきちのお話をして」

「困ったな。実を言うとね、とんきちについてそれほど面白いお話はないんだよ。とんきちはありきたりの熊で、まさきちとは違って言葉もしゃべれないし、お金の勘定もできないから」

「でも何かひとつくらいいいところはあるはずだよ」

「それはたしかにそうだ」と淳平は言った。「君は正しい。どんなありきたりの熊にもいいところはひとつくらいある。そうそう、忘れていた。このとんきちは……」

「とんきちでしょ」と沙羅は間違いを鋭く指摘した。

「失礼。このとんきちは、鮭を捕るのだけはうまかった。川で岩の陰にかくれていて、ぱっと鮭を捕るんだ。身のこなしが素早くなくちゃ、これはできない。とんきちはそれほど頭はよくなかったんだけど、その山に住むどんな熊よりもたくさんの鮭を捕ることができた。食べきれないくらいの鮭を捕った。でも人間の言葉がしゃべれないから、余った鮭を町に売りに行くこともできなかった」

「簡単なことじゃありませんか」と沙羅は言った。「だったら余った鮭と、まさきちのもっている蜂蜜を交換すればいいんだよ。まさきちだって食べきれないくらいの蜂蜜をもっていたんだよね？」

「そうだよ。そのとおり。とんきちも沙羅とまったく同じことを思いついた。二人は鮭と蜂蜜を交換するようになり、それからお互いのことをもっとよく知るようになった。知り合ってみると、まさきちは決して煙ったいきざなやつではないことがわかった。とんきちもただの乱暴者ではなかった。そのようにして二人は親友になった。二人は顔を合わせるといろんな話をした。それぞれの知識を交換し、冗談を言いあった。とんきちは一生懸命鮭を捕り、まさきちは一生懸命蜂蜜を集めた。でもある日、青天の霹靂というべきか、鮭が川から消えてしまった」

「セイテンノ……」

「せいてんのへきれき。とつぜんに、ということ」と小夜子が説明した。

「とつぜん鮭がいなくなっちゃったんだ」、沙羅は暗い顔をした。「どうしてなの？」

「世界中の鮭がみんなで集まって相談して、あそこの川に行くのはもうやめようって決めたんだ。あの川には鮭捕りのうまい熊のとんきちがいるからさってね。それ以来、とんきちは鮭を一匹も捕ることができなくなった。ときどき痩せた蛙をつかまえて食べるくらいが関の山だ。でも世の中に痩せた蛙くらいまずいものはない」

「かわいそうなとんきちくん」と沙羅は言った。

「それでとんきちは動物園に送られることになったの？」と小夜子が尋ねた。

「そこにいたるまでには長い話があるんだけど」と淳平は言った。そして咳払いした。

「でも基本的にはそういうことだ」

「まさきちは困ったとんきちを助けてあげなかったの?」と沙羅が訊いた。

「まさきちはとんきちを助けてあげようとしたさ。もちろん。だって親友だものね。親友というのはそのためにあるんだ。まさきちはただでとんきちに蜂蜜を分けてあげた。とんきちは『そんなことをしてもらうわけにはいかないよ。それでは君の好意に甘えることになる』と言った。まさきちは言った。『そんな他人行儀なことは言わないでくれ。もし逆の立場だったら、君だって同じことをするはずだ。そうじゃないか?』」

「そうだよ」と沙羅は強くうなずいた。

「でもそんな関係は長くはつづかなかった」と小夜子が口をはさんだ。

「そんな関係は長くはつづかなかった」と淳平は言った。「とんきちは言った、『僕と君とは友だちでいるべきなんだ。どちらかだけが与え、どちらかだけが与えられるというのは、本当の友だちのあり方ではない。僕は山を下りるよ、まさきちくん。新しい場所でもう一度自分をためしてみたい。またどこかで君に会えたら、そこでもう一度親友になろう』。そして二人は握手をして別れた。でも山を下りたとき、猟師が罠をつかって世間知らずのとんきちを捕まえた。とんきちは自由を奪われ、動物園に送られた」

「かわいそうなとんきち」

「もっとうまいやり方はなかったの？　みんなが幸福に暮らしましたというような」

と小夜子があとで尋ねた。

「まだ思いつかないんだ」と淳平は言った。


その日曜日の夕食を、三人はいつものように小夜子の阿佐ヶ谷のマンションで食べた。小夜子が『鱒』のメロディーをハミングしながらパスタを茹で、トマトソースを解凍し、淳平がいんげんと玉葱のサラダを作った。二人は赤ワインを開けてグラスに一杯ずつ飲み、沙羅はオレンジ・ジュースを飲んだ。食事の片づけを済ませたあとで、淳平はまた沙羅に絵本を読んでやった。読み終わると沙羅が寝る時刻になっていた。でも彼女は眠ることを拒否した。

「ねえママ、ブラはずしをやって」と沙羅が小夜子に言った。

小夜子は赤くなった。「駄目よ。お客様がいる前でそんなことできないでしょう」

「変なの。ジュンちゃんはお客様じゃないよ」

「なんだい、それ？」、淳平は質問した。

「くだらないゲームなの」と小夜子は言った。

「服を着たままブラをはずして、テーブルの上に置いて、それをまたつけるの。いっこの手はいつもテーブルの上に載せておかなくちゃいけないの。それで時間をはかるの。ママはすごくうまいんだよ」

「まったくもう」と小夜子は首を振って言った。「家庭内の他愛ないお遊びなの。そんなこと人前で持ち出されると困るんだよね」

「でも面白そうだ」と淳平は言った。

「お願い。ジュンちゃんにも見せてあげて。一度だけでいいから。やってくれたら、沙羅もすぐにベッドに入って寝ちゃうから」

「しょうがないなあ」と小夜子は言った。ディジタル式の腕時計をはずして沙羅に渡した。「本当にちゃんと寝るんだよ。じゃあ、よーいどんでやるから、時間を計ってね」

小夜子は大ぶりの黒いクルーネックのセーターを着ていた。彼女は両手をテーブルの上に置き、「よーいどん」と言った。まず右手を亀のようにセーターの袖の中にするするとひっこめた。そして背中を軽く掻くような格好をした。それから右手を出し、今度は左手を袖の中にひっこめた。首を軽く回し、左手を袖から出した。手の中には白いブラがあった。とても素早い。ワイヤのはいっていない小さなブラだった。それはすぐに袖の中に引っ込められ、左手が袖から出て、今度は右手が袖の中に入り、背中がごそごそと動き、右手が出て、すべては終わった。テーブルの上に両手がかさねられた。

「25秒」と沙羅は言った。「ママ。すごい新記録だよ。いちばん早くて36秒だったよね」

淳平は拍手をした。「素晴らしい。まるで手品だ」

沙羅も手を叩いた。小夜子は立ち上がって言った。「さあこれでショータイムはおしまい。約束通りベッドに入って寝なさい」

沙羅は寝る前に淳平の頬にキスをした。


沙羅が寝息をたてるのを見届けてから、居間のソファに戻って、小夜子は淳平に告白した。「実を言うと、私はずるをしたの」

「ずるをした？」

「ブラはつけなかったの。つけるふりをして、セーターの裾から床に落としたの」

淳平は笑った。「ひどい母親だ」

「だって新記録が作りたかったんだもの」、小夜子は目を細めて笑った。それほど自然な笑顔を彼女が見せたのは久しぶりだった。窓辺のカーテンが風にそよぐように、淳平の中で時間の軸が揺れた。淳平が小夜子の肩に手を伸ばすと、彼女はその手を握った。それからソファの上で二人は抱き合った。ごく自然にお互いの身体に腕をからめ、唇をかさねた。19歳のときからものごとは何ひとつ変わっていないみたいに思えた。小夜子の唇には同じ甘い香りがした。

「私たちは最初からこうなるべきだったのよ」、ベッドに移ったあと、小夜子は小さな声でそう言った。「でもあなただけがわからなかった。何もわかっていなかった。鮭が川から消えてしまうまで」

二人は裸になって、静かに抱き合った。生まれて初めてセックスをする少年と少女のように、相手の身体のあらゆる部分を不器用に触りあった。長い時間をかけてお互いを確かめてから、淳平はやっと小夜子の中に入った。彼女は誘い込むように彼を受け入れた。でも淳平にはそれが現実の出来事だとは思えなかった。薄明かりの中で、どこまでも続く長い無人の橋を渡っているみたいだった。淳平が身体を動かすと、小夜子があわせた。何度か射精したくなったが、淳平はこらえた。一度射精してしまったら、夢が覚めてすべてが消えてなくなってしまいそうな気がしたのだ。

そのとき背後で、軽い軋みが聞こえた。寝室のドアがそっと開けられる音だった。廊下の明かりが、開いたドアのかたちになって、乱れたベッドカバーの上に差し込んだ。淳平が身体を起こして後ろを振り向くと、光を背にして沙羅が立っていた。小夜子は息をのみ、腰を引いて淳平のペニスを抜いた。そしてベッドカバーを胸にひっぱりあげ、手で前髪をなおした。

沙羅は泣いても、叫んでもいなかった。ただそこに立って、ドアのノブを右手でしっかりと握り、二人の方を見ていた。でも実際には何も見ていない。彼女の目はどこかにある空白に向けられているだけだ。

「沙羅」と小夜子が声をかけた。

「おじさんがここに来るように言ったの」と沙羅は言った。まるで夢の中からそのままもぎはなされてきた人のような、抑揚のない声だった。

「おじさん？」と小夜子が言った。

「地震のおじさん」と沙羅は言った。「地震のおじさんがやってきて、さらを起こして、ママに言いなさいって言ったの。みんなのために箱のふたを開けて待っているからって。そう言えばわかるって」

その夜、沙羅は小夜子のベッドで眠った。淳平は毛布をもって居間のソファに横になった。でも眠ることはできない。ソファの向かいにはテレビがあった。彼は長いあいだそのテレビの死んだ画面を眺めていた。その奥には彼らがいる。淳平にはそれがわかった。彼らは箱のふたを開けて待っているのだ。背筋のあたりに寒気がして、それは時間が過ぎても去らなかった。

眠るのをあきらめてキッチンに行き、コーヒーを作った。テーブルの前に座ってそれを飲んでいるときに、足下に何かくしゃっとしたものが落ちていることに気づいた。

小夜子のブラジャーだった。ゲームをしたときのままになっていたのだ。彼はそれを拾い上げ、椅子の背にかけた。飾りのないシンプルな、意識を失った白い下着だった。それほど大きなサイズではない。夜明け前のキッチンの椅子の背にかけられたそれは、遠い過去の時刻から紛れ込んできた匿名の証言者のように見えた。

大学に入った当時のことを彼は思いだした。クラスで最初に顔を合わせたときの高槻の声が耳元で聞こえた。「なあ、一緒に飯を食いに行こうよ」、温かい声がそう言った。顔には〈さあ、世界はこれからどんどん良くなっていくんだ〉という、お馴染みの人なつっこい笑顔が浮かんでいた。あのとき俺たちはどこで何を食べたんだっけな？　淳平にはそれが思い出せなかった。たいしたものじゃないことは確かなのだけれど。

「どうして僕を食事に誘ったの？」と淳平はそのとき質問した。高槻は微笑み、自分のこめかみを人差し指の先で自信たっぷりにつついた。「俺にはいつでもどこでも、正しい友だちをみつける才能が備わっているんだよ」

高槻は間違っていなかった、コーヒーマグを前に置いて淳平はそう思った。彼にはたしかに正しい友だちをみつける才覚があった。でもそれだけでは十分ではなかった。人生という長丁場を通じて誰かひとりを愛し続けることは、良い友だちをみつけるのとはまた別の話なのだ。彼は目を閉じ、自分の中を通り過ぎていった長い時間について考えた。それが意味のない消耗だったとは思いたくなかった。

夜が明けて小夜子が目を覚ましたら、すぐに結婚を申し込もう。淳平はそう心を決めた。もう迷いはない。これ以上一刻も無駄にはできない。淳平は音を立てないように寝室のドアを開け、布団にくるまって眠っている小夜子と沙羅の姿を眺めた。沙羅は小夜子に背中を向けて眠り、小夜子はその肩に軽く手をかけていた。淳平は枕の上に落ちた小夜子の髪に手を触れ、それから沙羅の小さなピンク色の頰に指先を触れた。二人とも身動きひとつしなかった。彼はベッドのわきのカーペット敷きの床に腰を下ろし、壁にもたれ、不寝《ねず》の番についた。

淳平は壁に掛かった時計の針を眺めながら、沙羅に聞かせるお話の続きを考えた。まさきちととんきちの話だ。まずはこの話に出口をみつけなくてはならない。とんきちは無為に動物園に送られたりするべきではない。そこには救いがなくてはならない。淳平は物語の流れをもう一度最初から辿ってみた。そのうちに漠然としたアイデアが彼の頭の中に芽を出し、少しずつ具体的なかたちをとっていった。

〈とんきちは、まさきちの集めた蜂蜜をつかって、蜂蜜パイを焼くことを思いついた。少し練習してみたあとで、とんきちにはかりっとしたおいしい蜂蜜パイを作る才能があることがわかった。まさきちはその蜂蜜パイを町に持っていって、人々に売った。人々は蜂蜜パイを気に入り、それは飛ぶように売れた。そしてとんきちとまさきちは離ればなれになることなく、山の中で幸福に親友として暮らすことができた〉

沙羅はきっとその新しい結末を喜ぶだろう。おそらくは小夜子も。

これまでとは違う小説を書こう、と淳平は思う。夜が明けてあたりが明るくなり、その光の中で愛する人々をしっかりと抱きしめることを、誰かが夢見て待ちわびているような、そんな小説を。でも今はとりあえずここにいて、二人の女を護らなくてはならない。相手が誰であろうと、わけのわからない箱に入れさせたりはしない。たとえ空が落ちてきても、大地が音を立てて裂けても。

▽初出△

連作『地震のあとで』その一〜その六

「UFOが釧路に降りる」（「新潮」一九九九年八月号）
「アイロンのある風景」（同九月号）
「神の子どもたちはみな踊る」（同十月号）
「タイランド」（同十一月号）
「かえるくん、東京を救う」（同十二月号）
「蜂蜜パイ」（書下ろし）

神《かみ》の子《こ》どもたちはみな踊《おど》る

発行　二〇〇〇年二月二五日

著者　村上春樹《むらかみはるき》

発行者　佐藤隆信

発行所　株式会社新潮社

〒一六二-八七一一　東京都新宿区矢来町七一

電話　編集部　〇三-三二六六-五四一一

読者係　〇三-三二六六-五一一一

振替　〇〇一四〇-五-八〇八

印刷所　大日本印刷株式会社

製本所　株式会社大進堂

価格はカバーに表示してあります。

乱丁・落丁本は、ご面倒ですが、小社読者係宛お送りください。
送料小社負担にてお取替えいたします。

ISBN4-10-353411-7 C0093

ポートレイト・イン・ジャズ

和田誠
村上春樹

マイルズ、パーカー、エリントン……和田誠が描く26人のミュージシャンの肖像に、村上春樹がとっておきのエッセイを寄せる――ジャズへの熱い想いに満ちた一冊。　本体二五〇〇円

辺境・近境　写真篇

松村映三＋村上春樹

村上春樹とのタフで楽しい旅の写真帖！　モンゴルの大草原、メキシコの港町から瀬戸内海の無人島まで、作家と旅する写真家がとらえた、もう一つの村上ワールド。　本体二四〇〇円

さよならバードランド
あるジャズ・ミュージシャンの回想

ビル・クロウ
村上春樹訳

一九五〇年代、モダン・ジャズ黄金期のニューヨークで活躍したベーシストが綴る自伝的交友録。ジャズ・ファンならずとも、しみじみとレコードが聴きたくなる一冊。　本体二九〇〇円

グリーン・マイル

スティーヴン・キング
白石朗訳

ときは大恐慌時代、アメリカ南部のその刑務所では、死刑囚が最後に歩く通路を《グリーン・マイル》と呼んでいた――「恐怖の魔術師」キングが描く奇跡と感動の物語。本体三五〇〇円

叶えられた祈り

トルーマン・カポーティ
川本三郎訳

上流階層の退廃的な生活を描き、一部発表と同時に非難の砲火を浴びたカポーティの社交界モデル小説。自ら最高傑作と称しながらも未完に終った彼の遺作、遂に刊行！　本体二〇〇〇円

ヘミングウェイ全短編（Ⅰ・Ⅱ）

E・ヘミングウェイ
高見浩訳

ヘミングウェイ短編文学の全貌がいまここに――遺族らの手による世界初の完璧な短編全集〝フィンカ・ビヒア版〟待望の日本語訳。未発表7編を含む全70編を収録。　本体九七〇九円

表示の価格には消費税は含まれておりません。